JN107660

「強　み」
「知　識」
「顔出し」

ナシでも成功できる

SNS共感起業

宮中清貴
Kiyotaka Miyanaka

大和出版

はじめに

あなたのなかに「人に役立ち売れるもの」は、必ずある

ＳＮＳを使った起業は、オンラインでのやりとりが非常に活発になったことから、「一人起業」「好きなこと起業」として一気にメジャーになりました。手軽なイメージもあるため、「私もやってみたい」と思う人は、多いのではないでしょうか。

ただ、実際にＳＮＳでの起業をはじめたとき、初心者や売上が上がらない人がつまずきがちな点に、**お客さまへ自分の商品を「売り込めない」ことがあります。**

直接お客さまへ商品やサービスを売ったことのない人は、他人からお金をいただくことや自分が提供するものを勧めることに抵抗を感じるのです。

そんな問題を解決するのが、本書で解説する「SNS共感起業」です。

この手法によって、私は起業1年目で年商3000万円を達成し、わずか数年で1億円以上を売り上げました。


では、ここで少し私のことを紹介させてください。

現在私は、自身の起業経験をもとに、起業・集客のレクチャーを行っています。

私が最初にSNSを使って行ったのは、副業ではじめたオンラインのダイエット指導です。

そのダイエットの手法は、私が就職して1年で15キロ太ってから痩せるまでの試行錯誤の経験をもとにしています。

当時、本業の忙しさに加えて、飲み会や付き合いの外食が多く、太ってしまった私は、ダイエット本を20冊ほど読みトライアンドエラーを繰り返しました。

失敗もたくさんありましたし、無駄なお金も使いました。

「1日1回飲むだけでスルスル痩せる」といった文言に魅せられサプリメントを試

したり、ダイエット器具を購入したり、置き換え食や長時間の運動をしたり……。

失敗の連続でしたが、最終的には半年で10キロ痩せることに成功したのです。

しかも、飲み会や付き合いは減らさず、食事制限もなし、運動もほとんどしない状態で、です！


これを読んで、あなたは「そのダイエット方法を知りたい！」と思ったかもしれません。でもそれはまたの機会にしておきましょう（笑）。

そしてあなたが知りたいと思ったように、私が痩せたことによって、周囲の人からも、「どうやって痩せたの？　教えて！」と言われるようになったため、それを無料で教えはじめました。

すると同じようにたくさんの人が楽しそうに痩せていったのです。

そこでこのダイエット手法をInstagramで発信し、ビジネスに繋げた結果、１００0人以上のお客さまへ、ダイエット成功のお手伝いをすることができました。

この「ＳＮＳ共感起業」成功のポイントは、ＳＮＳツールを使って役立つ情報を発信するとともに、**〝個性（あなた独自の魅力）が見える投稿〟**を併せて行うこと。

人は、「この人は自分に似ている」と共感すると親近感を持ち、その相手を特別に感じるようになるのです。

その共感を引き出すトリガーが、**〝個性の見える投稿〟**です。

たとえば、「私がとても太っていた頃、今度こそ痩せようと強く思えば思うほど続けられず、自己嫌悪になっていました」といった**〝個性の見える投稿〟**をしたとします。

すると、「ダイエットを続けられない自分に似ているな」「この人なら私の気持ちをわかってくれるんじゃないかな」と思ってくれる人が現れます。

そうしたら、その方たちの相談に乗り、丁寧なコミュニケーションを重ねると、自然と相手から、「あなたにお願いしたい」と購入希望の言葉が出てくるのです。

この手法をお伝えすると、「だったら私のこの経験も商品になるかもしれない！」と思う人もいる一方で、「自分には人に教えられるような経験なんてない」という人も多くいます。

でも心配することはありません。

商品やサービスになるのは〝経験〟だけではありません。

あなたの**好きもの、興味があることの「情報をまとめるだけ」でも価値があるのです。**

今は多くの人が忙しすぎて時間がなく、そして、情報が溢れすぎている状況にあります。そのため、自分の知りたいこと、学びたいこと、改善したいことに時間をかける余裕がありません。

ですから、そんな人たちのために、たくさんの情報のなかから、**役立つ方法をピックアップして、使いやすくまとめてあげるだけでも、非常に役立つ商品・サービスになります。**

つまり、あなたが「気づくとついついやってしまうこと」「好きで、調べるのが苦にならないこと」の情報をまとめて、伝えてあげればいいのです。

すると、その「まとまった情報」に、人はお金を払います。

ですから、今のあなたに「強み」も「知識」も必要ありません。

あなたの〝経験〟や〝好き〟に、お客さまが共感してしまうあなたの〝魅力（個性）〟をプラスして発信すれば、自ずとうまくいきます。


どうですか？　少し難しそうに感じるでしょうか？

でも実は、難しくはありません。なぜなら、この方法はまったく未経験の人でも、「強み」「知識」「顔出し」ナシで実践することができる方法だからです。

実際、この「SNS共感起業」の手法を使った生徒さんたちは、次のような成果を上げています。

- **専業主婦から四柱推命コーチをはじめ月収40万円**
- **事務職の女性が動画編集業務を副業としてはじめてプラス月収35万円**
- **治療院アルバイトと掛け持ちで不登校支援サポート事業を行い月収５００万円**
- **元産婦人科勤務の主婦がゼロから出産前後アドバイスをはじめて月収30万円**
- **会社員が副業でセラピストをはじめプラス月収１００万**

- **会社員の女性が副業でインスタコーチをはじめプラス月収30万円**
- **エステサロンを経営していた人が、養成講座を作成しプラス月収１００万円**
- **会社員の女性が趣味のタロット占いで起業し月収１００万円**
- **シングルマザーのデザイナーが月収10万→１００万円**
- **アスレティックトレーナーが独立し、ピラティストレーナーになり月収40万円**
- **ＩＴ企業勤務の男性が起業コンサルをスタートし月収２００万円**
- **フリーターが目標達成コーチを開始し月収30万円**
- **エステサロン経営者が月収30万→１００万円**

ここで紹介しているのは、ごく一部ですが、こうしてさまざまな人が「ＳＮＳ共感起業」の手法を使って起業を成功させています。

本書では、私が趣味程度ではじめたダイエット相談から、年間３０００万円の売上を達成できるに至ったすべてのノウハウを、できるだけ簡単に誰でも再現できるよう、**テンプレ（テンプレート）化し、解説**していきます。

あなたは、本書に書いてあることを使って、そのまま実行するだけ！

本書を読めば、数十万から１００万円以上するような**高額起業講座に申し込む必要もなくなります**。

そして、どんなに少なくても最低プラス５万円は稼げるようになるはずです。

そのあとの伸び幅は、あなたの行動力しだい！

ぜひ本書を十分に活用して、あなたの思い描くビジネスライフをおくってください。

宮中清貴

1-2 自分の価値観、得意、強み、特性を引き出す質問

STEP 2
リサーチ&モデリングで“憧れのあの人”に近づく

STEP 3

あなたの「解決策×魅力」を発信するSNS戦略

STEP 4

世界一簡単なあなたの好きや経験をお金にする方法(ベーシック)

〝欲しい〟と言われる販売方法を身につける!

STEP 5

長期的に安定したビジネスを作るためのアドバンスステップ

長期的なビジネスに必要なリストという概念とは？

SPECIAL PART

うまくいかないときのつまずき解消法

DTP 一企画
ブックデザイン・装丁イラスト 藤塚尚子（etokumi）
図表 次葉

STEP

0

誰にでもできるSNS共感起業の方法とは？

STEP 0

誰にでもできるSNS共感起業の方法とは？

「SNS共感起業って何？」

「どうすればSNSで起業できるの？」

「どうすればお金を稼げるの？」

そんな疑問を持っているのではないでしょうか。

このステップでは、具体的なSNSでの起業の流れや、あなたの経験をお金にする方法をお伝えします。一緒に、基礎固めをしていきましょう。

0-1

読むだけですぐわかるSNS共感起業

SNS共感起業とは、どんなものでしょうか？

SNS共感起業の、「SNS」とは、Facebook、Instagram、ブログ、YouTubeなど、ソーシャルネットワーキングサービス（Social Networking Service）と呼ばれるものの略で、登録した利用者同士が交流できるウェブサイトの会員制サービスのこと。

あなたはきっと、何かしらのSNSを使ったことがあると思います。一昔前だと、mixiなどが流行っていましたよね。

SNS共感起業とは、**SNSで役立つ情報と共感を呼ぶ発信をして自分を知ってもらい、最終的に商品やサービスを購入してもらうこと**です。

一見難しそうに感じる方も多いかもしれません。

ですが、私もゼロからスタートして試行錯誤しながら売上に繋がった方法です。

そして最初にお伝えしたように、私が教えている生徒さんたちも同様にSNSを使って起業に成功しているので安心してください。

SNSを使う目的とは？

SNSを活用している人は、大きく3つに分類することができます。

1つ目は、「交流」をメインに活用している人。全体の半分以上がこの分類です。

2つ目は、「情報収集・検索」に使用している人。お気に入りのアーティストや著名人の情報をチェックしたり、エクササイズの方法やためになる知識をチェックしたりなど、あなたもInstagramやYouTubeなどで検索したことがあると思います。

3つ目は、「ビジネス」のツールとして活用している人です。あなたが調べたような情報を〝発信している側〟の人のことです。この人たちは、情報発信を入り口にして、最終的にそれを売上につなげていく戦略を取っています。

これまではGoogleやYahoo!の検索エンジンで調べられていたものが、今はSNSで検索されるようになっています。

もしかしたら、あなたもSNSで調べた情報から、何かしらの購入をした経験があるかもしれませんね。

本書ではあなたがこの情報を発信する側に回って、あなたの好きや魅力をお金に変えて行く方法についてお伝えします。

ビジネスとは何か？

お金を稼ぐこと、つまりビジネスとは、**相手の求めるものを与える、または他人の悩みを解決してお金をいただくこと。**

何か大きなリスクを背負うことでも、高額な資金を用意したりすることでもありません。あなたにできる〝人の役に立つこと〟を提供すればいいだけなのです。

あなたにできる〝人の役に立つこと〟また、それがなかったら好きなもの、興味あるものを突きつめていけばいい。情報をまとめるだけでも価値があるのです。現代人は忙しすぎて時間がない。だからこそ、そのまとまった情報がお金を払ってでも喉か

ビジネスとは何か？

**悩みを解決してくれる商品・サービスに
お金のやり取りが発生する**

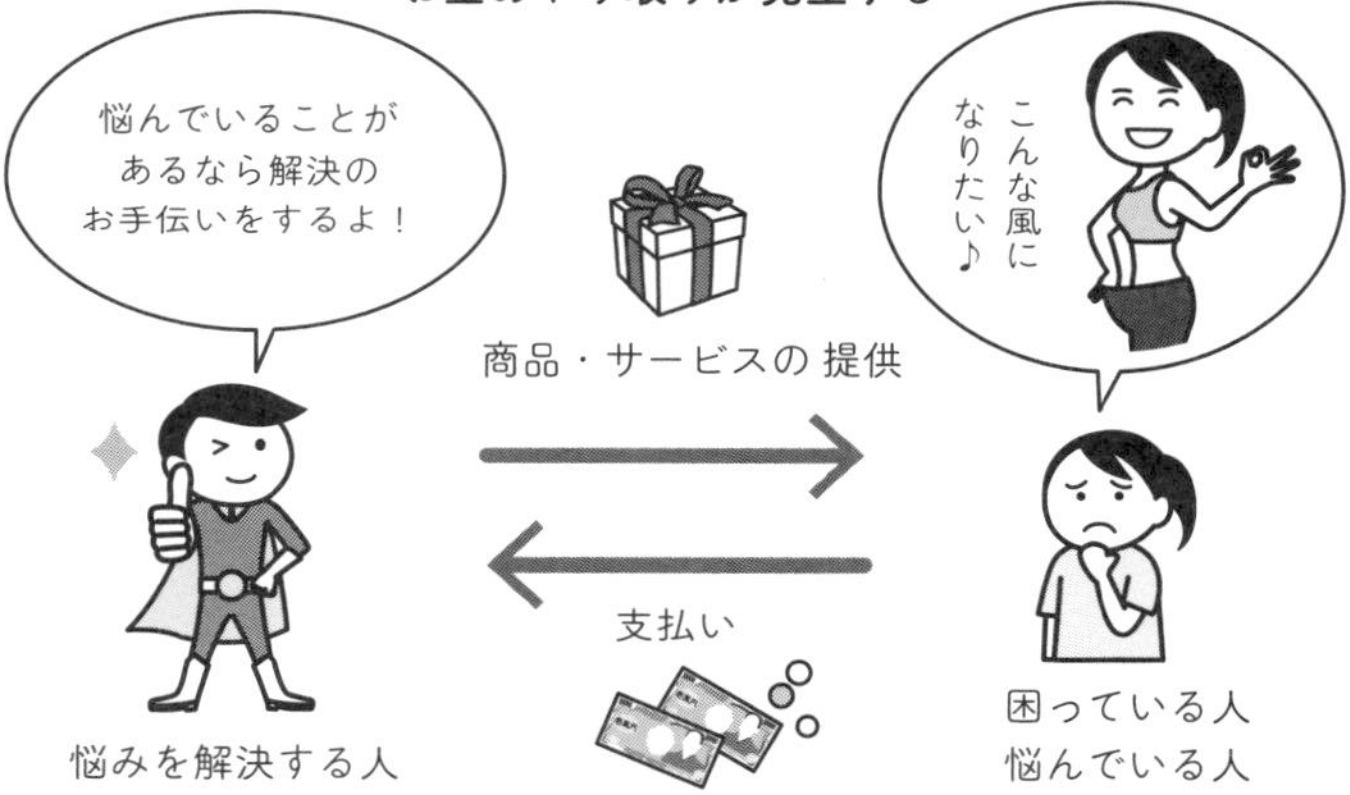

ら手が出るほど欲しいのです。

たとえば、あなたが髪を切りたくなったとしましょう。あなたはどうしますか？　ほとんどの方が美容室に行って美容師さんに切ってもらうでしょう。

そこで、髪の毛の切り方を自分で学んで練習して何百時間を使って試行錯誤して切りませんよね？

ちょっとお金がかかってもあなたは喜んで美容師さんに切ってもらうと思います。

もっと極端な例を言えば、あなたは旅行に行くときに、旅行本を購入したことはないでしょうか？　おすすめの観光地、おすすめのレストラン、おすすめの宿泊先、おすすめの観光ルート、おすすめの写真スポットなどを知る目的で購入するでしょう。しかし、それを自分で調べようと思えばできるはずです。

しかし、それがとても大変なことで、時間がかかることがわかるからこそ、しっかりプロが作った旅行本を購入するのです。

大体のイメージがついたでしょうか。あなたは自分の好きなことの専門家になって情報を発信すればいいのです。

SNSで起業するための流れとは？

SNSを使って起業するまでの簡単な流れは、次のようになります。

SNSで発信して自分を知ってもらう→LINE公式に登録してもらう→より具体的な商品やサービスの情報を知ってもらう→体験に申し込みをしてもら

う→購入してもらう

ＳＮＳが活用されるようになる前には、テレビやチラシなどの広告から商品やサービスを知ってもらい、商品を試してもらって、購入に促すのが主流でした。

それが、ＳＮＳを使うことによって、より密にお客さまと交流できるようになったため、ビジネスがより手軽に、よりスムーズに進むようになったのです。

そこで本書では、ＳＮＳで起業するための流れを次のように解説していきます。

❶あなたの魅力が伝わる、自分らしいビジネスの見つけ方（ＳＴＥＰ１）

自分を知って棚卸しし、あなたのなかにある〝人の役に立ち、お金にすることができる宝物〟を見つけます。

❷リサーチ＆モデリングで〝憧れのあの人〟に近づく（ＳＴＥＰ２）

基本的なビジネスの構成要素を知ることで、同業のことや将来お客さまになってく

ビジネスの基本的な流れ

あなたがとるべきアプローチ	アプローチの目的
SNS 活用	未来のお客様に認知してもらう
LINE 公式に入ってもらう	興味を持ってもらい、より詳しい情報や特典・プレゼントを受け取ってもらう
セミナー 無料体験 相談会	お試ししてもらう
販売	より変化を求めて本商品を購入してもらう
継続購入	リピートや次の商品・サービスを購入してもらう
紹介	商品の感想を発信する／環境を整備する

低 ↕ 顧客との信頼関係 ↕ 高

←人数→

だされる方（見込み客）がどのような人なのかを知ります。

そして、どうやってビジネスを行えばいいのかという全体像が、リサーチを繰り返すうちにぼんやりイメージできるようになります。

お客さまになる人を知り、SNS共感起業の具体的なやり方を身につける段階です。

❸あなたの「解決策×魅力」を発信するSNS戦略（STEP3）

SNSの活用方法をマスターすることで、情報発信をしながら、あなたを求めている未来のお客さまを見つけ、直接アプローチする手法を学びます。

❹世界一簡単なあなたの好きや経験をお金にする方法（ＳＴＥＰ４）

見込み客に〝欲しい〟と言ってもらえる販売方法をテンプレートで身につけます。モニターを見つけることで、はじめての売上を手に入れましょう。

❺長期的に安定したビジネスを作るためのアドバンスステップ（ＳＴＥＰ５）

長期的に安定したビジネスを作るための必須項目を知ることで、ビジネスを拡大させます。さらに、テンプレで爆発的な売上を作る方法を身につけます。

このように、５つのステップを踏むことで、売上を立てる手法を学び、実践できる内容をお伝えします。

0-2

ビジネスをする考え方を整える（マインドセット）

まず、ビジネスを学ぶときにどこへ行っても重要だと言われることは、マインドセット（考え方）です。

私たちは、今まで生きてきたなかでたくさんの思い込みや思考のクセ、自分のなかの常識が刻み込まれています。

たとえば、「お金持ちは悪いことをしている」という思い込みを持っていれば、どんなに頑張ってもお金持ちになることができません。

ですから、ビジネスを成功させるためには、**ビジネスがうまく回らなくなる思い込みを捨てて、成功するための考え方を取り入れなくてはなりません。**

しかし、それがとても厄介なのは、その思い込みや思考のクセは無意識のうちに働いてしまうため、自分で見つけることができないのです。

そこで手っ取り早くそれを変えるには、すでに成功している人のマインドセットを取り入れることが必要です。

本当にそんなことが必要なのかと思うかもしれませんが、次の例を知ると、事実だと思えるのではないでしょうか。

- **経営者の一家に生まれた子どもは将来経営者になる確率が高い**
- **芸能人の親のもとに生まれた子どもは芸能人になる確率が高い**

つまり、それぞれの家庭で〝自分の身の回りにある当たり前のこと〟として話されている内容が、経営や事業のこと、芸能関係のことばかりなら、その子どもの常識や思い込みは、それぞれの内容をベースとしたものになります。


だからこそ大切なのは、**うまくいっている人の考え方を、自分にインストールすること**です。それを最初にやっておけば、成功するも同然。自動的に成功に向かって進むことができます。

そのために、「この人のようになりたい！」という人がいれば、その人の本などを買ってみて、その考え方を自分に取り入れていくと良いでしょう。

では、多くの成功者が日頃から大切にしている5つのマインドセットを紹介します。

❶目標設定をする
❷素直に謙虚に行動する
❸楽しむ
❹成功するまで続ける
❺完璧主義はやめる

では、これを順に説明しましょう。

❶目標設定をする

人は、ゴールや目標があるからこそ、そこに向けて努力して行動ができます。

よく言われる例ですが、車でなんとなく走りはじめるのと、目的地を設定してルートを調べてから走りはじめるのと、どちらの方がたどり着きたい場所へ到着できるでしょうか？

たしかになんとなく走りはじめても、いつかたどりつくかもしれませんが、はじめに目的地を設定しルートを調べた方が、早く確実に行きたい場所に到着できます。

だからこそ、目標を立てることが、達成への近道だということです。

そして、プラスして考えていただきたいのが、**「その目標を達成したらどうしたいのか？」**ということ。

「60日で毎月5万円の副収入を得られるようになる」という目標を立てた場合、その5万円の副収入を得て、あなたはどうしたいのかということです。

旅行にいきたいのか？　美味しいご飯を食べに行くのか？　ちょっとお金を貯めて好きな物を購入したいのか？　引っ越して少し良いところに住みたいのか？　これらをセットで考えるのが、目標の達成率が最も上がってくる目標設定の仕方です。

簡単に3つの目標を作ってみましょう。

●3カ月後どうなっていたいですか？（具体的な数字とあなたの状況）

- **半年後どうなっていたいですか？（具体的な数字とあなたの状況）**
- **1年後どうなっていたいですか？（具体的な数字とあなたの状況）**

❷ 素直に謙虚に行動する

長期的に成功している人たちは、とても丁寧で腰が低く、謙虚で優しいことが多いです。それは、「今の自分の地位や成功は、自分一人のおかげで成り立っているわけではない」と知っているからです。

そして行動することが、とても大切です。

たとえば、「これをやればうまくいくのでは？」というアイデアがひらめいたとしたら、実はこの世のなかに、同じようなタイミングで、同じようなアイデアを思いつく人が10万人以上いるとも言われています。

そして、それを実際にやってみるのは、そのなかの10％くらい。

さらに、その行動を続ける人が、その10％。

つまり、同じアイデアを持っていても、最終的に恩恵にあずかるのは、わずか1％に満たないという事実です。

だからこそ、ただ素直に謙虚に行動し続けるだけで、成功する確率はグッと上がることは明確なのです。

❸楽しむ

成功している人はいつも楽しそうです。ですからその名の通り、すべてのチャレンジを楽しみながら取り組むことです。するとアメリカの人から応援され、お客さまもあなたからサービスを受けたいと思うようになり、紹介や口コミも生まれます。あなたが楽しむことで、明るいエネルギーや空気感が周りに伝染し、それに惹かれて人が集まってきます。

❹成功するまで続ける

SNSでの起業に関して言えば、リスクはほぼゼロに近いです。あえて言うなら、本書の書籍代くらい。

だからこそ、成果が出て成功するまでやめないほうがいいと思っています。SNS

での起業に「失敗」は特になく、トライ&エラーを繰り返すのみです。
トーマス・エジソンの名言にこんな言葉があります。

「私たちの最大の弱点は諦めることにある。成功するのに最も確実な方法は、常にもう一回だけ試してみることだ」

「私は失敗したことがない。ただ、1万通りのうまくいかない方法を見つけただけだ」

この2つの言葉が教えてくれるように、諦めないで継続し続ければ、必ず成功に近づきます。

❺ 完璧主義はやめる

人は、なぜ行動をしないのでしょうか。それは、ほとんどの人が「完璧主義」だからです。「こんな状態で発言していいわけがない」「これではリリースできない」「こんなサービスは提供できない」こう思う人が大半です。

ですからまず、**20%の出来でも世の中に出す**ことが重要です。そこから修正改善を繰り返して、より良いものにするのが一番効率的です。

準備に1年かけて完璧になってから、いざ世の中にリリースしても、もしかしたら全然需要がなくなっているかもしれない。

そうなった場合、またイチから作り直しです。ならば、まずはリリースして、反応を見ながら修正するのが最も効率的なのは明白です。

本書はあなたに成果を出してもらうため、ワークが多くなっています。

ですが、ワークを完璧にやろうとすると膨大な時間と労力がかかるはずです。

1つひとつのワークは20%の出来でいいので「まずはやり遂げること」を目標にしてください。

そうやってまずは完璧主義を手放すことから始めてみましょう！

STEP 1

あなたの魅力が伝わる、自分らしいビジネスの見つけ方

STEP 1

あなたの魅力が伝わる、自分らしいビジネスの見つけ方

まず本書の冒頭で、あなたも自分の経験や好きなことがお金になるかもしれないと思ってもらえたかと思います。

ここからは、そのあなたの経験や好きなことを具体的にするステップに入ります。あなただけの宝物を探しましょう。

ファーストステップは、9個の質問に答えてもらい、あなたの人生の棚卸しをします。これは、あなたが提供するサービスや強み、その

根っこにある原点を知る大切なステップです。
ですからここは面倒くさがらず、しっかりと取り組んでください。
ですが、先程もお伝えしたように、最初は完璧でなくても、もちろん大丈夫です！
そして、「良い答え」と思えるものが何も出てこなくてもOK。
まずはあなたのことを、自分で知るだけで十分意味があります。

さらに、こうした振り返りは、定期的に繰り返すことで、どんどんバージョンアップするものだと覚えておいてください。

質問の答えに正解不正解はありません。
「こんなこと書いたらまずいかな？」と思うようなことでもガンガン書き出してください。誰にも見せるものでもないので、考えすぎずに、安心してペンの動くままに書いてみましょう！

質問 1
好きなこと、夢中になれること、ワクワクすることは何ですか？

この質問で、あなたがどのようなことが好きで、夢中になれるのか？　どのようなことに心が動かされるのか？　ワクワクするのか？　を知ることができます。

私の場合の例をお話しすると、私はサッカーをやるのがとても好きで、ディフェンス（守備）なのに、フェイントで相手を抜くことが好きなんです（守備がテクニックで相手を抜くことなんてほとんどない　笑）。

そして、なぜそれが好きか考えていくと「人の予想を裏切り、驚かせたりするのが好き」ということがわかりました。人生を振り返ってみると、確かにサプライズで人を喜ばせることが好きでした。

私の例のように、一見意味のわからないこと、ビジネスに関係ないことでもいいので、とりあえず書いてみましょう。

私は温泉が好きなので温泉や旅行、お酒、漫画を読むなどいろいろ書き出しました。

そこから、それがなぜ自分は好きなんだろう？　と考えるとさらに深くなって面白いのでおすすめです。

ちなみに私は、なにか裏道を探したり攻略法を考えることが好きだったので、たくさんの方に本書でお伝えしているようなノウハウやテクニックを教えるのも向いているかもしれません。

質問2　あなたが今、最も興味関心のあることは何ですか？

この質問では「あなたが今、興味関心のあること」がわかります。

次の「リサーチモデリング」というステップで、サービスにつなげるものは、興味関心があるけれど、あまり詳しくはないものでも、最初は問題ありません。

逆に、それこそとても重要です。なぜなら、興味のあることは没頭して夢中で勉強したり、学んだりすることができるからです。

ですから、興味関心のあることは、関連書籍や同じテーマの本を10～20冊読めばにわか専門家になることができます。

そもそもその情報を知りたい人でも、ほとんどの人が本を10冊も読まないからこそ、あなたが10冊読んでまとめて伝えると、需要が発生します。

今、あなたが興味関心を持っていることを、まずはたくさん書いておきましょう！

質問3

イライラ・ザワザワすること、残念に思うこと、もったいないと思うことは何ですか？

この質問では、「あなたの大切にしている価値観」がわかります。

そしてあなたが気づいていない強みや得意なこと、才能を理解することができます。
イライラすることは、「あなたが簡単にできること」「当たり前だと思っていること」が隠れています。また、ザワザワすることには、「あなたが大切に思っている価値観」「守りたい価値観」などに繋がります。

たとえば、飲み会中に「気が利かない人にイライラ・ザワザワする」という人の場合、「気配りをすることが当たり前で、得意である」「気配りをして、みんなが心地よく過ごせる環境を作ることが大切」と思っている証拠です。
また、その場合の才能は、人よりも気配りができ、無意識に人の気持ちを汲むことができる心優しい素晴らしい人ということです。

イライラ・ザワザワすることの他に、「残念に思うこと」があれば、それは相手に「もっとこうすればいいのに」と伝えられることかもしれないということです。

私の場合は、起業したいと言っているけれど、お金ができたら、準備ができたら、人脈ができたら、スキルがついたら、勉強したらとなかなか行動しない人に対して、残念に思っていました。

これを紐解くと、おそらく私は行動力が人よりもあり、相手の背中を押したいと思っているということです。

このように、思いつくままに、たくさん書き出してみてください。

こちらも、ビジネスに関係なくてかまいません。あなたの大切にしている価値観や、あなたの強みや得意や才能、自分が当たり前に行っている能力、どのような人の力になれるのか、という気づきがたくさんあると思います。

質問 4
簡単にできること、よく褒められること、他の人より早く・上手にできること、頼られることは何ですか？

こちらも、「自分の強み、得意、才能」を知るための質問です。

ここで出てくることは、すでに人に教えたり、伝えることができるレベルであることが多いため、しっかり自覚しましょう。

この質問は、あなたが労力をかけることなく無自覚に行っていて、当たり前すぎるため、認識できていない場合もあると思います。

周りの人、仲間、友人、家族、親などに「自分のすごいところってどこだと思う？」と聞いてみるのがおすすめです。

質問 5 人によく相談されること、求められること、喜ばれたこと、感謝・感激・感動されたことは何ですか？

この質問では、「あなたの気づいていない才能や、能力を発揮して人の役に立つこと」を知ることができます。

人があなたを頼りにしていること、求めていることは、意外と多いものです。

人によっては、答えるのに時間がかかるかもしれませんが、気にせず書きましょう。

小さい頃から今に至るまでの過去を振り返れば、必ずあるはずです。

あなたが無意識に行っている魅力的な宝物を見つけることができるので、宝探しの気持ちで楽しみながら書き出してみましょう。

質問6 周囲からのあなたの印象はどんなものですか？

この質問では、「あなたが周りからどのように思われているか」がわかります。

あなたが考える自分と、周りから見たあなたは、かなり乖離があるかもしれません。ですので、質問4と同じく、周りの人や仲間、友人、家族、親などに「自分ってどんな人？　印象を教えて！」と聞いてみましょう。

あなたが思ってもいないことで、褒められることもあると思います。人からの印象は確かなものです。しっかり感謝しながら受け入れてください。

思いもよらない自分に出会うきっかけになるので、ぜひ周りの人に勇気を出して問いかけてみてください。

質問 7

仕事にしたい（している）分野であなたが持っている知識と経験はどんなものですか？ 乗り越えた壁、身につけたもの、学んだことは何ですか？

この質問では「過去の仕事の分野で培ってきた能力や得意なこと」がわかります。特に大切なことは、携わってきた専門分野で乗り越えてたことは何か。そこから身につけたもの、学んだことは何かを深く深く掘り下げることです。これによって、あなたの中の専門的な宝物や身についた能力を見つけることができます。

現在まで、複数の業種を経験してきた場合は全部書きだしてみましょう。

私の場合は、前職のブライダルジュエリー販売の店長時代に培った知識や経験、体験、スキル、乗り越えた過去によって、身につけたものがたくさんあります。

また最初に起業したオンラインダイエット事業で身につけたものもいくつかあるので、それも全部書き出しました。

この質問は、定期的に時間を取って書き上げましょう。

質問 8
仕事にしたい（している）分野以外であなたが持っている知識と経験はどんなものですか？　乗り越えた壁、身につけたもの、学んだことは何ですか？

この質問では、先程と違い「過去の専門分野以外の経験から自分が培ってきた能力や得意なこと」がわかります。

これは、仕事以外の話ですので、家庭環境、部活、学校、習いごと、アルバイト、サークル活動、ボランティアなどたくさんあると思います。

たとえば、私の場合、小さい頃にいじめられた経験があるので、それを乗り越えた過去や経験を書きました。すると、自分がそのときに身につけた能力が、今とても役に立っていることに気づくことができました。

あなたの幼少期からの人生を全部振り返って、人生の棚卸しをしましょう。すると、「だからこの能力が身についたのか！」という気づきや発見があると思います。

質問9

何の制限もないとしたら、あなたがやりたい仕事や販売したい商品・サービスは何かを、思うまま書き出してみよう！

この質問では「あなたが本当にやってみたいことのヒント」がわかります。

子どものときに「お姫さまになりたい」「○○戦隊のレッドになる！」と夢を口に出していたような感覚で、「制限なくなんでもできるとしたら」と考えましょう！

もしなかなか出てこない場合は、キーワードだけでも書いておきましょう。

次のステップの「リサーチモデリング」のときに、進めやすくなります。

🌐棚卸し最終ワーク（あなただけの宝物を見つけよう！）

- あなたはどのようなことが得意で好きでしたか？
- あなたの気づいていない強みや才能、人柄はどんなものでしたか？
- あなたの人生で「これは特別だ！」という経験や体験は何でしたか？
- 今のあなたは、どんな人にどんなサービスを提供できそうですか？
- 制限がなかったら、どのようなサービスを提供してみたいですか？

質問&ワークを取り組んでみていかがでしたでしょうか？

新しい自分を発見できましたか？

やってみたいこと、やれそうなことが思いつきましたでしょうか？

次のステップからはそれをしっかり形にする段階に入りますから、楽しみながら進めていきましょう。

また、あまり見つからなかった人でも安心してください。

何度も繰り返すうちに、必ず出てきますので定期的に取り組んでみましょう。

STEP 2

リサーチ&モデリングで〝憧れのあの人〟に近づく

STEP 2

リサーチ&モデリングで〝憧れのあの人〟に近づく

このステップでは、興味のあるものやあなたの人生経験を、ビジネスにするためのステップです。次の4つの項目を順に解説します。

①誰でも成功できる世界一わかりやすいビジネスの作り方
②3C分析とは?
③究極リサーチの仕方
④究極モデリングの仕方

2-1 誰でも成功できる世界一わかりやすいビジネスの作り方

ビジネスの基本は「誰かの悩みの解決」の提供でした。これを、ステップ0の25ページで紹介した「SNS共感起業」の大まかな流れに沿って見ていきましょう。

その流れは4つのステップで完成することができます。

❶問題点や原因を決める（探す）
❷解決の方法を決める（探す）
❸テスト販売し、改善する（モニターを獲得する）
❹改善する

❸と❹については、モニターを獲得して、そのお客さまにサービスを提供しながら修正・改善をするという流れとなります。
ここでは、❶と❷について説明しましょう。

❶問題点や原因を決める（探す）

まず、「あなたはどのような悩みを持った人の力になれるか？」を想像してみてください。

悩みを持った人（見込み客）は、

- どのようなことで悩んでいるのか？
- なぜ悩んでいるのか？
- いつから悩んでいるのか？
- どれくらい深刻なのか？
- 解決・改善するとどうなるのか？（理想の未来）

悩みがある場合、何か問題点や原因が必ずあるということです。

ですからまず見込み客の悩みを具体的に知り、見込み客が理想の未来（解決・改善）を得るには、どのような問題点や原因を解消すればいいかを定めることが大切です。

もし、今答えられなくても問題ありません。

そのまま、❷の「解決方法を決める」に進みましょう。

見込み客の悩みを解決するような書籍はたくさん出ているので、まずは関連書籍を10冊読んで知識を蓄えましょう。解決すべき問題点や原因がわかってきます。

❷解決の方法を決める（探す）

見込み客の問題点や原因を仮定したら、次はその仮の問題点や原因を解決するための方法を考えます。次の3つが、それを考えるための質問です。

- **どんな知識を伝えるべきか？**
- **何を伝えればいいか？**
- **どんな行動をとってもらえばいいか？**

このように、どうすれば問題が解決して理想の状態に進めるのかを考えてみましょう。

あなたが提供する商品・サービスが、自分の経験から得た解消法なら、「自身が解決したときのコツは何だったか？」「何がポイントだったのか？」を書き出します。

わからない場合は、勉強して身につければOKです。

実例で、❶❷を見てみる

では❶❷の、実際の例を紹介しましょう。

見込み客に、「起業してみたいけれど、何からやればいいかわからず、自分にできるのか不安に思っている人」を想定します。

その人の悩みを、仮に次のようなことだとしましょう。

- SNSって難しいと思っている
- SNS共感起業のやり方、流れがわかっていない
- 自分が人に何かを販売してサービスを提供できるなんて思えない
- たくさん本を読んだけれど行動できない

それを解決するために伝えることは、

・ＳＮＳ共感起業の具体的なやり方を伝える
・今のあなたでも誰かに貢献できるという事実を伝える
・簡単なセールスの型を覚えてそのとおりに練習してもらう
・10冊程度の本を読んでほしいスキルや知識を向上させていく
・成功するための考え方を伝える
・成功するまでの道のりを具体的に伝える

お気づきかもしれませんが、この「解決するために伝えること」は、本書の内容になります。見込み客に〝本書の読者さん〟を設定しました。

この「解決するために伝えること」のなかで、わからないことや自分には難しいことがあれば、知識を補充したり、他の人の手を借りたりすることになります。

「３Ｃ分析」を知ろう

３Ｃ分析とはマーケティング用語の１つで、ビジネスを作るときの重要な公式です。

この手法は難しいので、ただ知識として頭に入れておくだけでもＯＫです。

この考え方を知っているかどうかで、この先の解説の理解度が変わります。

３Ｃ分析の「３Ｃ」とは、「Customer（市場・顧客）」「Competitor（競合）」「Company（自社）」の３つの頭文字を取ったものです。

まず**「Customer（市場・顧客）」**は、市場規模、見込み客の悩みやニーズ（要望）、行動を理解します。

これは、先程お伝えした、「見込み客の悩みを知る」という部分にあたります。

次の**「Company（自社）」**では、自分の強みや得意分野で、ライバルがまだ手をつけていないところを見つけていきます。

ここは、〝人生の棚卸し〟のステップで行ったことです。

最後に**「Competitor（競合）」**は、ライバルの強みや打ち出し方、どのような顧客を狙っているのかを分析・リサーチします。

この分析・リサーチに関しては、実際に行うと非常に難しいので、次の項目から簡単にできる方法を解説します。

2-2

誰でも起業できる成功法則「TTP」

あなたの人生経験や好きをビジネスにするための近道に、「TTP」という手法があります。

「TTP」は、「一人起業」や「好きなこと起業」業界で、**「徹底的にパクる」**の略語とされています。**早く成功したいのであれば自分で考えてはいけません。**

ほとんどの場合、世の中にはすでに答えがあります。先に同じようなことで成功している人、先輩、先生、ライバルなど、すでに道の先を行く人がいます。

最初はそれをしっかりマネすることが大切です。

世の中の商品やサービスの90%以上は、完全なオリジナルのものではありません。「オマージュされたもの」なのです。オマージュとは尊敬、敬意を持って、自分の中に取り入れてアレンジするという意味。

既存の何かと何かを組み合わせたり、もっといい機能が追加されたりして新商品が開発されています。

たとえば、新しい機能を持ったスマホや家電が出てくれば、業界こぞってその機能を追加する。世界的に有名なアパレルのコレクションで出たような洋服は流行の最先端としてファストファッションブランドが取り入れて量産するということが起こっています。

ここで間違ってはいけないのは**「丸パクりは絶対にダメ」**だということ。その構造やしくみ、本質の部分をモデリングしましょう。

モデリングすればするほど、相手の努力や分析、経験という叡智をお借りしていることになるので、モデリングの相手をより尊敬するようになります。

2-3

究極リサーチ

あなたの宝物をビジネスにするためには、TTPが近道とお話ししました。TTPは、「リサーチ→モデリング→実践」という流れで行います。これが本ステップの「リサーチ&モデリング」です。

本書では、このリサーチを、「究極リサーチ」として、手法を解説します。「究極リサーチ」を行う目的は、次の2つです。

❶あなたがこれから提供したいビジネスを、すでに行ってうまくいっている人を探す

❷ライバルの発信から見込み客の悩みや具体的な発信内容を調べる

あなたがやろうとしていること、やってみたいことを実際にどのような人が取り組んでいて、どのようにビジネスをしているのかを知ることができます。

いわばゲームの攻略本を読んで、どうプレイすれば、早くクリアできるかを調べる作業に似ています。「究極リサーチ」のコツは4つあります。

❶大量行動を行う
❷検索の仕方を身につける（キーワード選定）
❸さまざまなSNSで検索する
❹リサーチ先をチェックする

では、それぞれ解説しましょう。

1 大量行動を行う

何事もデータを集めるには量をこなすことが大切。ここは大量行動をしましょう。このリサーチのステップをしっかりと時間をかけて行うことによって、SNSを見る視点が変わります。

❷から❹の項目は、最低でも20名以上はチェックするようにしましょう。

🌐 2 検索の仕方を身につける（キーワード選定）

リサーチするためには、キーワードを使って検索を行い、ライバルを探さなければなりません。

最初は、あなたが商品・サービスにしたいことに関連するキーワードを、思いつくままに検索する形でOKですが、キーワード選びのポイントを紹介しておきましょう。

- **あなたが仕事にしていきたいキーワードで検索してみる**
- **あなたの見込み客が検索しそうなキーワードで検索してみる**
- **職業で検索してみる**

たとえば、あなたが「子育てを楽しくする考え方に気づいた」としましょう。

これをビジネスにする場合、キーワードは「子育て／悩み解決」だったり「子育て／

先生」などを検索します。

すると、「子育て関係のビジネスでは、子育てコーチと名乗っている人が多いぞ！」「子育て、教育関係は、教えている協会がたくさんある」「子どものためじゃなくて、母親向けに教えている人もいるのか」といった、新しい気づきやキーワードなどが出てきます。そうしたら、それをさらに調べて深掘りします。

何人かのライバルを調べていると、その人が「どのようなキーワードをよく使うか」がわかってきます。

そのような順序で、まずはいろいろ調べながら取り組みましょう。

検索するSNSによって、調べられるワードも異なるので慣れていきましょう。

3 さまざまなSNSで検索する！

検索するツールは、主にSNSを使用します。

普段は、わからないことがあれば、GoogleやYahoo!などの検索エンジンも使用し、キーワードを入れると思いますが、SNSで起業している人をモデリングするため、探す先もＳＮＳを多く含みます。

また、ライバルを探すときに、１つのＳＮＳだけで調べていても出てこない可能性があったり、情報が偏ったりしてしまう恐れがあるので、できるだけいろんなＳＮＳで調べてみましょう。

ここでは主要の検索先をお伝えします。

●検索エンジン（Googleなど）

まずはGoogleで調べてみる手もありです。Googleはキーワードでの検索結果から各ＳＮＳに繋がる可能性が高い検索先の１つです。

Google検索のコツは、キーワードとキーワードの間にスペースを使うこと。「ダイエット（スペース）お悩み（スペース）解決方法」などのように検索するとヒットしやすくなります。

またGoogle検索の場合は、検索結果にブログ記事が出てくる可能性が高いので、「その記事は誰が書いているのか?」「どのような記事なのか?」をチェックし、その人をさらに調べると、どのようなＳＮＳを活用しているかもわかります。

また、Google検索の場合はYouTube動画も高い確率で出てくるので、それをチェックしてもOKです。ルールはないので、自由に量をこなして取り組みましょう。

●Instagram

Instagramは独自のハッシュタグ（#）を使って検索します。

Instagramでは、日常で使わないような言葉の組み合わせが人気のハッシュタグの可能性もありますので、地道にいろいろ探し回ることをおすすめします。

Instagramの場合は、思いついたキーワードのハッシュタグを使って検索してみて、出てきた結果を見て、ライバルのアカウントを探します。

そのライバルの投稿を見ると、どのようなハッシュタグが使用されているのかがわかるので、次は、そのハッシュタグを調べていくと、芋づる式に自分が使用するべきハッシュタグがいくつかわかってくるはずです。

Instagramで特にチェックするポイントは、プロフィール、集客導線としてのURL、投稿内容などです。

Instagramの特性上、URL（ホームページに飛ぶリンク）がプロフィールに1つしか記載できません。ライバルがその大切なリンク先を、どこに設定しているのかで集客導線がわかります。

●Facebook

Facebookの場合は、Facebook内の検索窓で、投稿、人物、グループ、イベントなどのカテゴリー別に検索できるようになっているため、すべてのカテゴリーをチェックしながらライバルを探します。

特にチェックしたいのは、プロフィールの書き方、カバー写真（アイコンの後ろにある横長の画像）に書いてある言葉、集客導線（URLや無料プレゼントなど）、投稿内容などです。

●YouTube

YouTubeで検索する場合も、同じくキーワードで行います。

YouTubeの場合は、再生回数やチャンネル登録者数をリアルタイムで見ることができるので、人気の動画やチャンネルがすぐわかります。

そのため、需要の多さやトレンドを知ることができ、これからあなたが発信するネタやテーマを作成するときの参考になります。

すでにチャンネル登録数が何百万人という人気チャンネルを参照する場合、専門的な内容を扱っているチャンネルにすること。

そして大切なチェックポイントは「概要欄（動画の下の説明欄）」。ここに、「集客導線があるか」「他のSNSをやっているか」を見ることです。

●ブログ（アメブロ、noteなど）

ブログ系でよく活用されているのは、アメブロやnoteといったサービスです。

各ブログからSNSやLINE公式にリンクさせている場合が多いので、その集客導線もしっかりチェックすることが重要です。

集客導線は、ブログ記事の下のほうにある、自分のPRのために入れている定型文のような「自己紹介」「プレゼント配布」「イベントの告知」などです。ここから集客導線を確認できます。

4 リサーチ先をチェックする

調べてみると、どの人をリサーチ対象に選べばいいのか迷うと思います。

ですが、その基準はとても簡単で、「売れてる人なのか（売上が高そうか）」ということです。確認するポイントは、次の5点です。

- **SNSでのビジネス活動を2年以上続けているか**
- **発信の中で適度に自分のサービスの話をしているか**
- **LINE公式友だちが200人以上いるorメールマガジンをやっているか？**
- **1週間に2、3回以上発信を継続できているか**
- **プロフィールをわかりやすく記載しているか**

このポイントをおさえていれば、**ビジネスである程度売上が立っていると判断できる**のでリサーチ対象として候補に入れてOKです。

2-4

究極リサーチテンプレート

20名ほどリサーチ対象を見つけたら、次は10名に絞りましょう。

リサーチ先として、「憧れる」「なんとなく好き」「こんな商品・サービスを提供したい」と、あなたがやりたいことを、すでに実践している人をピックアップします。

この10名に対して「究極のリサーチテンプレート」を作成します。

これは私のオリジナルのもので、これを理解して埋め、あなただけのリサーチシートができれば、分析の上級者と言えます。

究極リサーチテンプレート

- どのような「過去実績経歴」を持った人が、
- どのような「悩みや理想の未来」を持った「見込み客」に、
- どのような「プロフィールやコンセプト」で興味を持ってもらい、

- どのような「SNSを使って発信」をしていて、
- どうような「発信」をしてリストを集め、
- どのような「商品・サービスを販売」し、
- どのような「方法」で見込み客の悩みを解決・改善し、
- その方法にどれくらいの「期間」を使っているのか?
- それは「なぜその人がやっているのか?」
- そして「なぜその人に人が集まっているのか?」

そしてこの「究極リサーチテンプレート」の作成には、次の10項目を意識してリサーチすることが必要です。

- **どのようなSNSを活用しているか?**
- **どのようなプロフィールやコンセプトか?（見込み客は誰か）**
- **どのような投稿や発信をしているか?**
- **どのような集客導線か?**

- **どのようなプレゼントがあるか？**
- **どのようなＬＩＮＥ公式＆メルマガの配信か？**
- **どのようなフロントエンド商品か？（どのような悩みの解決提案をしているか）**
- **どのようなバックエンド商品か？**
- **その人の想いやミッション・ビジョンは何か？（なぜその仕事をしているのか）**
- **そこにどのようなお客さまが集まっているか？**

リサーチ対象者は、「見込み客が求めているから」その発信をしているし、プレゼントのタイトルやテーマも、必ず「見込み客が欲しい物」を作っています。

ですから、しっかりと10項目を意識してリサーチをし、「究極リサーチテンプレート」を埋めていけば、見込み客はどのようなことに悩んでいて、どのような未来を得たいのかもわかります。

これによって、リサーチ先のことも、お客さまのこともよく理解できるのです。

2-5

究極モデリング

TTPは、「徹底的にパクる」ことで、**リサーチ→モデリングの順番で進んでいく**とお伝えしました。

先程の項目ではリサーチの仕方を詳しく解説してきたので、この項目では「モデリング」をお伝えしていきます。

モデリングとは「リサーチした内容を自分に置き換えて行動していく」こと。

先程のステップで、10名のリサーチ対象を決めました。その人たちをモデリング先とします（リサーチ対象＝モデリング先）。

そのモデリング先をいつでも確認できるように、携帯やPCのメモ機能で保存しておきましょう。

次のステップではSNS戦略として、あなたのビジネスに必要なパーツを作っていきます。そのときに、ヒントや参考としてモデリング先を活用しましょう。

では、これまでに作成した「究極リサーチテンプレート」を活用して、あなただけのオリジナルシート「究極モデリングシート」を作成してみましょう。

あなたが商品・サービスとして、「これができそう！」「これがしたい！」という、大まかな内容でかまいませんので、次の項目に当てはめて書き出してみてください。

次のステップから詳しく1つずつ解説しながら作成していきますが、あなたオリジナルのビジネスイメージを先につかむために作成します。

思うまま、とりあえず書き出してみましょう。

究極モデリングシート

- どのような「過去実績経歴」を持った**あなた**が、
- どのような「悩みや理想の未来」を持った「見込み客」に、

- どのような「プロフィールやコンセプト」で興味を持ってもらい、
- どのような「SNSを使って発信」をしていて、
- どうような「発信」をしてリストを集め、
- どのような「商品・サービスを販売」し、
- どのような「方法」で見込み客の悩みを解決・改善し、
- その方法にどれくらいの「期間」を使っているのか？
- それは「なぜ**あなた**がやっているのか?」
- そして「なぜ**あなた**に人が集まっているのか?」

自分の棚卸しでわかったことやリサーチして参考になったものをイメージしながら、項目を埋めてみましょう！

STEP 3

あなたの「解決策×魅力」を発信するSNS戦略

STEP 3

あなたの「解決策×魅力」を発信するSNS戦略

このステップでは、SNSの発信をビジネスにするパーツを作ったり、見込み客を集める上で重要なSNS戦略をお伝えします。

また、本ステップから、稼ぐのに必要な基本レベルを「ベーシック」、より売上を上げるためのレベルを「アドバンス」として、2部構成で解説します。ステップ4のベーシックの次にステップ5のアドバンスに取り組むことが、最短で売上を上げる方法になります。

3-1

魅力的なプロフィールを作る

使用するSNSが決定したら、次はSNSの顔でもある「プロフィール」を作っていきます。プロフィールで大切なことは、**見込み客に「あなたが誰に何を提供している人なのか?」を知ってもらうこと**です。

発信を続けていくと、見込み客に「あなたはどのような人なのか?」とプロフィールを見てもらえるときがあります。

そのときに「あなたの力になれる人ですよ!」「あなたにとって価値のある人ですよ」とアプローチできるのがプロフィールの役割です。

最短で効果を生む「プロフィールテンプレート」

簡単に効果の高いプロフィールが再現できる「プロフィールテンプレート」を、3つご紹介します。

プロフィールテンプレート1

「○○しないのに○○なあなたになれる○○法」
（常識だと思われることや、難しいこと）をしないのに、（見込み客の理想の未来の状態）なあなたになれる（わかりやすく魅力的な文言）法

このテンプレートに沿って作成するだけで、見込み客にとって驚きが含まれる文章になります。

なぜなら、最初の「○○しないのに」という部分には、

- **当たり前だと思われる常識**
- **絶対自分がやりたくないこと**
- **面倒くさいこと**
- **難しそうなこと**

などを入れ、見込み客に「全部やらなくてもいいの？」「本当に？」と思わせることができるからです。

そのあとに、「〇〇なあなたになれる」と理想的な未来、見込み客が求めることを入れることによって、**「簡単に悩みが解決する」「理想の状態になれる」と伝えることができます。**

最後の「〇〇法」は、リサーチして参考になったものから、あなたなりのやり方やメソッド、想いやアイデアを加えて形にしてみましょう。

プロフィールテンプレート2

〇〇の専門家　〇〇の悩みを持っている方へ〇〇を提供（サポート）しています。

（どのようなことを解決する）の専門家　（こんな悩みを持った）な人へ（こんな理想の未来）を提供

例：「頑張らないのにサクッと簡単に集客ができる方法」を提供している人。

このテンプレートは、見込み客以外の人が見ても、あなたが何を専門とする人なのかがわかるテンプレートとなっているのが特徴です。

まず最初に○○の専門家（○○な人）と明記することによって、あなたがどのような人なのかをすぐに理解してもらえます。

その直後に「○○な方に○○を提供」と言葉を入れることにより、見込み客に、「あ、私のことだ！」と思ってもらいやすくなります。

「○○のお悩みを持っている方へ」の○には悩みを入れ、「○○を提供」には、見込み客が得たい理想の未来を入れます。

そして、その**悩みを解決でき、見込み客が理想の未来へ向かえる商品・サービスをあなたが提供しているとわかることが重要です。**

例では、「SNSを頑張っても集客に結びつかない」（という悩みを持った方に）「頑張らないのにサクッと簡単に集客ができる方法」（理想の未来）を提供している人、と明記することで、求めている人にピンポイントでアプローチが可能になります。

プロフィールテンプレート3（アドバンス用）

○○な人に○○を提供する専門家
（こんな悩みを持った）人に（こんな理想の未来）を提供する専門家
プレゼント内容

このテンプレートは、アドバンス用になります。

見込み客が喉から手が出るほど欲しいと思えるようなプレゼントを配布し、LINE公式の友だち追加をしてもらうテンプレートになります。

最終的に、**友だちを集めるしくみを組み込んだプロフィールにすることができれば、定期的にあなたのLINE公式アカウントに見込み客が入ってくる流れができます**（ステップ5で詳しく解説します）。


簡単に作成できるようないくつかテンプレートを紹介しましたが、これだけが正しいわけではありません。リサーチを進めていくうえで、「この人のプロフィールはいいな」

と思う人がいれば、その要素を取り入れていくのがいいと思います。

ブラッシュアップする場合、次の2点を心がけましょう。

❶誰のどのような悩みに対して、どのようなサービスを提供しているのかがわかりやすい

❷何の専門家なのかをわかりやすく明記する（あれば実績や経歴など）

また、SNSのアイコンに関しては、顔出しナシの場合、あなたの顔のイラストなどを設定しましょう。

本書では顔出しナシで行う場合を想定していますが、実際の顔写真を出して活動する場合は、プロに撮影してもらった写真にしましょう。プロの写真は、クオリティがまったく異なるので、それだけでライバルと差別化できます。

周りに人が写っていたり、遊んでいるときの写真では、印象が悪くなります。「清潔」「爽やか」「明るい」「元気」という印象の、信頼感が増す写真を使いましょう。

FacebookをSNSツールに使う場合は、カバー写真も設定する必要が出てきます。これはリサーチしながら良さそうな文言を準備して、作成を外部サービスに依頼するか、自分で作成して設定します（無料画像編集アプリCanvaはおすすめ）。

やってみよう！

各項目の要素を書き出して仮でいいのであなたのプロフィールを完成させましょう。

❶見込み客はどのような悩みを持ち、どのような理想の未来を求めているか？
❷誰のどのような悩み解決に向けてどのようなサービスを提供しているか？
（どのような手法か想像できるようにする）
❸何の専門家なのかを明記する
❹実績（あれば）や経歴、悩みを乗り越えてきた過去、経験など
❺LINE公式でのプレゼントなどある場合は記載してOK
❻その他伝えたいこと

3-2

興味をひく発信をする

プロフィールを作ったら次に取り組むことは、発信（投稿）することです。

このステップでは、どうやったら見込み客に興味を持ってもらえる発信ができるかを理解するために、発信の種類や投稿にいいね！を増やすコツなどをお伝えします。

よりリサーチ&モデリングの内容が大活躍する段階ですので、まだしっかりリサーチ&モデリングできていない場合は、並行して進めていきましょう！

SNS活用における投稿発信の重要なマインドセット（考え方）

繰り返しますが、売上を上げていくうえで一番重要なことはマインドセットです。

ここではSNSで投稿発信していく重要な考え方についてお伝えします。

「あなたの発信で救われる人は必ずいる」

ＳＮＳで起業しようと思ったときに、誰もが頭によぎることは、「自分に自信がない」「自分が発信してもいいのか？」ということです。

しかし、それは気にしないでほしいです。

あなたは誰かの力になることが１００％できる人である。私はそう思っています。

だからまず大前提のマインドセットとして、「あなたの発信で救われる人は必ずいる」ということを念頭においてほしいです。

あなたが当たり前だと思っていることでも、それで困っている人からしたらものすごく価値があることになります。最初からお伝えしているように、あなたが当たり前だと思っていることは強みであり、才能でもあるのです。

だからまず、あなたがそれを認めて**誰かの力になれると信じてください。**

あなたの発信が、たった1人の役に立つことができれば、必ずその後ろには数万人の人があなたの力を求めているはずです。

だからこそ、求めている人たちの力になるために、発信していきましょう！

あなたの発信はただの集客活動ではないのです。あなたの想いを表現しながら、誰かを救うという行為なのです。

もしかしたらその途中で批判があったり、あなたにいろんな壁が訪れるかもしれません。

しかし、誰になんと言われようと、あなたがどう思われるのかは関係ないです。世の中の批判してくる人のほとんどが、ただ批判したいだけの人や、あなたのことが羨ましいだけの人、さらに足を引っ張りたい人です。

それはこれから必ず出てくるので、気にしないようにしよう。

もし、アンチが出てきたら、あなたの発信がいろんな人に届きはじめている証拠になるのですから逆に喜びましょう！

見込み客は自分のことにしか興味がない

人間は基本的に自分のことにしか興味関心がない生き物です。

良い悪いではなく、そういう生き物であると理解しておくことが重要です。私もあなたもきっとそうだと思います！

あなたは「起業してみたい！」「起業して副収入を得たい」「起業の情報が知りたい」「自分でもできるかも」と思って本書を手に取ってもらったと思います。

きっと私のことには1ミリも興味がなく、この本で自分が成功することに興味があるのです！

SNSを活用するうえで、それを必ず意識しておいてほしいです。

見込み客は、あなたの発信する情報や投稿が、自分の役に立ったり、共感したり、面白かったり、気づきがあったり、学べたりするから投稿を見ているのです。

ここで勘違いしてしまった人は、「自分のことに興味関心がある」のだと思ってしまい、自分の話や自慢をはじめてしまいます。

見込み客は自分のことにしか興味がないのです。

だからこそ、見込み客が興味関心のある内容を発信してあげることが集客するうえで重要であると覚えておいてほしいです。

文章がうまいヘタ、写真や画像のセンスは関係ない

最初はみんな文章がヘタです。

最初からうまく書ける人の方がごくわずかで、みんな少しずつ成長するものです。

あなたがモデリング先として尊敬する人も、最初の文章はヘタに違いないです。

私もそうです。

しかし、私はヘタかもしれないけど、発信をしています。

私の情報や、この本を手に取ってくださる方の力になれると信じて発信しています。

ですからあなたも、文章のうまいヘタ、写真のクオリティなどにこだわらなくても良いです。

行動する人は世の中の10%しかいないと冒頭でお伝えしました。

ですからまず、**拙くてもクオリティが低くても発信するという行動さえしてし**

まえば、あなたはすでに10%の人間になることができます。

そうなると成功する確率がぐっと上がります。

それをしっかり続けていくことが唯一の成功のルートとなっていくので、書きながら成長してクオリティを上げていきましょう。

一投稿一メッセージ（何を伝えたいのかを明確に）

投稿発信しようと思うと、あれもこれも伝えたくなってしまうときがあります。

でも、そうなると、あなたの文章は何を伝えたいのかわからないものになってしまいます。

だからこそ、意識することは **「一投稿一メッセージ」**。あなたはその発信を通して何を伝えたいのかを意識して投稿・発信を作っていきましょう！

3-3

売上が上がる投稿の種類をマスターする

集客に繋がるSNS発信の中でも特に重要な部分である「どのような投稿をすれば集客ができ、売上が上がっていくのか」について解説します。

SNS活用を闇雲に行っても意味がない。SNS活用は売上に繋がることを意識するべしとお伝えしてきましたが、それは投稿発信でもまったく同じことが言えます。

ここの項目では、SNSではどのような投稿をすればいいかの種類とその具体例を交えてお伝えします。

ビジネスで成功するために必須なSNS投稿の4種類はこの通りです。

❶価値を提供して見込み客に有益な情報を与える投稿

悩み解決、気づき、ノウハウ、学びなどのため→投稿全体の50%

❷あなたの人柄や性格、仕事への想いやプライベートの投稿

あなたを知って信用し親近感を覚えてもらうため→投稿全体の20%

❸ 実績や経歴、お客さまのお声の投稿

見込み客に信頼信用してもらうため→投稿全体の20％

❹ あなたのサービスの告知や募集、LINEへの誘導の投稿

あなたがサービスを提供していることを認知させるため→投稿全体の10％

右の❶〜❹を、**5対2対2対1の配分で投稿する**ことが必要となります。

しかし、あなたの人物像や業種、商品・サービスによって異なるのでPDCAが必要です。

1 価値を提供して見込み客に有益な情報を与える投稿

投稿の大部分を占めるのが価値を提供する投稿です。

あなたもInstagramやYouTubeで、今のあなたの悩みや困っていること、興味のあることを解決するために見たり調べたりしたことがあるはずです。

あなたがどのようなビジネスをするのかが決まったら、その見込み客が困っていることや、解決したいこと、頭の中でずっと考えていることを、あなたの投稿で、気づきを得てもらったり、解決できたりする内容を考えて発信しましょう。

たとえばあなたが今、「ダイエットしたい人」だとして、ダイエットを決意するも、どうしても自分に勝てずに三日坊主になってしまった。そんな経験はないでしょうか？

そこであなたがSNSを見ていて、たまたま「たった1分読むだけで三日坊主を克服し、スルスル痩せていく方法」という記事を見つけたら、きっと「ホントかなぁ⁉︎一回読んでみよう！」となるはずです。

そこで、ちゃんとノウハウや気づきを提供して、見込み客にその情報を届ければ、喜んでいいね！やコメント、フォローをするようになると思います。

あなたも、いつもチェックして情報を参考にしているSNSのアカウントに無意識にいいね！などしているはずです。

それを読んで、考え方が変わったり、悩みが解決したり、「試してみよう」「やってみたい」と思ってもらえれば大成功です。

そうやって**ノウハウや気づき、学び、悩み解決の価値の提供を投稿することによって、あなたのアカウントのファンが増えていきます。**

参考に、具体例をいくつかあげていきます。

例1：価値の提供（新しい学び）

［お米といっしょに○○を摂ると、太りにくくなる！　魔法の食材とは⁉］

上手な「食べ合わせ」で、ダイエット効果♪

ダイエット中でも、ほっかほかのごはん（お米）が恋しくなることってありますよね……。

そんなときはムリなガマンより、少しでも太りにくい食べ方をしましょう♪

実は、お米といっしょに摂るとダイエット効果があるものがあるんです‼

Q：お米と一緒に摂ると、ダイエット効果があるものって？

A：そ・れ・は「酢」

酢には糖質の吸収をゆるやかにする働きがあるので、炭水化物（糖質）のお米と一緒に摂るとダイエット効果がＵＰ！

血糖値の急上昇を抑え、糖質が体脂肪として蓄えられるのを防いでくれるんです♪

（さらに黒酢だとアミノ酸が含まれるため、より一層ダイエット効果が高まります）

お寿司も、食べ方を工夫すればダイエットの味方に！

お寿司を食べる際には、ガリ（生姜の酢漬け）を一緒に摂りましょう。

体を温め代謝を上げてくれるので、太りにくくなりますヨ！

お米は、ビタミン・ミネラル・食物繊維が豊富な玄米や雑穀米を選ぶとなおGood！　でも、量は控えめに！

例２：価値の提供（気づき）

［人と比べてしまう自分がとても嫌い］
受講生や、クライアントさんとお話しすると、「自分に自信がありません」「いつも凹んでばっかりです」「自分なんてまだまだです」そんな話をたくさん聞きます。

でも、そう思ってしまう背景の1つに、「他の人と比べて自分は……」という意識がどこかに入っていることが挙げられます。

その気持ちはとてもわかります。

私も未だにすごい人と自分を比較して、まだまだだと落ち込むときも凹むときもしょっちゅうあります。

そんなときに自分に問いかけてほしいのは、3カ月前の自分、半年前の自分、1年前の自分と比べたとき、成長しているか!? ということ。

他人と比べても、あまり意味はありません。まったく違う人間だし、性格も、環境も、全部違う。ですから本当は比較のしようがないのです。

それは、自分の自信のなさを自分で正当化し、あえて落ち込むゲームをやっているだけ。

絶対的に頑張っている人、前に進みたい人で、半年前と同じ人なんていません。

自分の成長を自分で感じてあげないと、誰がわかってくれるのさ!

まずは、自分で自分を認める。そのうえで成長を続けませんか!?

なぜなら、今のあなたのままでも、十分に存在するだけで価値がある!

世の中で何万人もの人の力になれるんですよ！

求めている人がいるんです！　そんな人が目の前に現れて力を貸してほしいって言われたとき、頼ってくれたときに、「いやいや、まだ私なんて」という人から助けてほしいとあなたなら思いますか!?

自分に自信を持って、謙虚に素直に一緒に成長する。それが大切だと思う今日この頃。自分に自信がないから、商品・サービス提供がこわいっていうのは、「目の前に人が倒れているのに自信がないから救急車を呼ばない」

そんなことを、やっているようなものですよ！

2 あなたの人柄や性格、仕事への想いやプライベートの投稿

価値の投稿だけでは不十分で、あなた自身の考えていること、思っていること、大切にしていることなどを知ってもらうことで、より信頼関係を深める〝意味ある投稿〟になります。ここもしっかり意識して取り組んでいきましょう。

自分の過去の話や乗り越えた辛いこと、体験したこと、感じたこと、などを伝えて

いきましょう。

というのも、いくら良い情報を発信していたとしても、ただの機械のようなアカウントにあなたは大切なお金を払うことはないと思います。

そのアカウントのオーナーであるあなたが生身の人間で、こんな人で、こんな考えを大切にしていて、こんなことが好きで、まさに今この瞬間にでも、あなたの力になりたいと思っている。

そんな人だとわかってもらえたなら、「頼ってみようかな?」「一回話を聞いてみたいな!」という感情になってもらうことができます。

一番大切なことは、**あなたの想いやプライベートを少しでも出すことによって「親近感」を読者に感じてもらうことです。**

実は打ち明けると私も、あなたにこの本を届けようと思っていてもなかなか筆が進まなかった時期があります。「本当に読者が知りたいことはなんだろうか?」「文章で、ちゃんと私の想いが伝わるだろうか?」など、私もあなたと同じ一人の人間、喜怒哀楽もあれば、1日中ダラダラ怠けるときもあります。飲み会が好きでワイワイ騒いでいるときもあります。

そんな私のことを話すと、もしかしたら、あなたも私に親近感を抱いてくれたかもしれません。そういったことをあなたも適度に投稿してみましょう。

例1：自分の想い

「私はみんなに嫌われてもいい」

アドラー心理学をテーマにした書籍に『嫌われる勇気』というものがある。

とてもいい本です。まだ読まれてないかたはぜひ。

ですが、ほとんどの方が「嫌われる勇気を持つ」と考えると、自分の幸福の最大化のためには、「ある程度相手に合わせず、嫌われても気にしない」と考えてしまう人も多いです。

私にとっての「嫌われる勇気」とは、その人の人生のために嫌われてもいいから真剣に関わること。

そして、それを数年先に相手から「当時はあなたのことが嫌いだった。でも今は大好きだ！」と言われればそれでいい。大好きにならなくても、嫌いだったでもいい。その人の人生を変える1つのきっかけになれれば、それで私はとてもうれしい。「嫌われる勇気」を持つではなく、「嫌いだったと思われる勇気」を持ちたいと思う。

例2：自分のプライベートと想い

今日はフットサルの蹴り納め。

来年はフットサルの数を増やして、健康的な生活を心がけます✨

今年は昔の友だちが、自分のビジネス講座を受講するといううれしいことがあり、そして、その友だちが無事独立できて、さらにうれしすぎる！

私がいつも受講生に伝えていることは、「講座中の成果に執着はしていません。みんなの人生の成長にコミットしています」ということ。

よくある自信のない人の声に、「クライアントの成果が出なかったらどうしよう」と心配する人がいますが、成果を出すためのプログラムを作ってしっかり約束通りサポートするのは当たり前なのです。

が、受講生やクライアントの成果を背負う必要はない。成果を出すのは、受講生やクライアントの責任。そうしないと、成果が出たら講座やその先生がすごいことになってしまう。

それは間違っていて、この講座や先生を見つけて自分で申し込んで、自分で貴重なお金を使って、自分で行動して、自分で頑張ったのです。

その結果を講師のものとしてはいけない。

受講生がすごすぎるのです。受講生が頑張ったのです。そこをちゃんと伝えることが大切。

私ではなく、受講生がすごいのです。

私には、「起こることすべて自分の責任」というマインドセットがあります。

なので、成果が出なかったり思わしくなかったりした場合、もちろん改善に改善を重ねて最高のサービスにします。最初から完璧なんてありません。

なぜならiPhoneも何回もの改良を行なっている。プリウスやレクサスも改良に改良を重ねている。成果を出すのは受講生の責任。

そこを奪ってしまったら、受講生は自分の人生を自分の力で生きていくことはできなくなると思う。私はただたくさんの人の見本になるようにやっていく！

そして、今日はその昔からの講座を受講した友だちと一緒にフットサル！

休憩中に投稿なう！

3 実績や経歴、お客さまのお声の投稿

実績や経歴の投稿は、かなり重要な役割を果たします。

なぜならこの投稿をすることで、**あなたのすごいところを知ってもらうことができる**からです。

また、お客さまやモニターの声を載せることによって、「この人からサポートしてもらったらこんな成果&変化が出るのか！」と具体的にイメージしてもらうことができるからです。

そして、この投稿を定期的にしているうちに、「私も変わりたい」「受けてみたい」と思ってもらえるようになります。

実績経歴を発信すること、これはただ単に自慢をしてほしいという意味ではまったくないです。

あなたはどのような人でどのような経歴を持っていて、なぜこの発信をしているのかというあなたの背景を知ってもらうことで、情報の受け手が感じる印象がまったく変わってくるからです。

たとえば、先程の例で、あなたがたまたまみつけたダイエット三日坊主解消法の投稿をしている人は、どのような人なのかを知ることが重要なのです。

その人が、ダイエット経験がまったくない、そして実践していない、教えたこともないというのに、そんな投稿をしていても、誰もその人の話を信じることはないでしょう。

逆に、その人が100キロから50キロまで実際に痩せた経験があり、実践して良かったことをお伝えして、またその人のお客さまに成果が出ているとなれば、あなたは「盲目的に」その人の情報を信じるでしょう。

では、この投稿を多めにすればいいのではと思うかもしれませんが、それをすると逆効果になってしまいます。

極端なことを言えば人は自分のことにしか興味がないので、他の人の変化はどうでもいいのです。なので、自分のためになる情報が散りばめられていないと、読んでくれなくなってしまうのです。

さらにSNSはコミュニケーションの場でもあるのでビジネスのアピールばかりだと、うんざりされてしまうのです。


あなたがこの本に書いてある内容を信じるかどうか、行動してみようと思うかどうかは、私がこの情報をどれだけ自分で実践し、経験して、たくさんの人に教え、成果を出してきたのかによるかもしれません。

そして信じてくれて、私の伝える内容であなた自身が、「自分も稼ぐことができるのかな?」と妄想してワクワクしてもらえると、とてもうれしいです。

お話ししたように、実績や経歴の投稿は読んだ人に多大な影響を与えることができる。だからこそ、少ない割合でも発信しなければなりません。

ですが実績経歴がない人でも安心してください。

実績は、あとからいくらでもモニターを募集して作っていけばいいです。棚卸しをしたことで今すぐ書けるあなたの実績や経歴をまずは書いてみましょう。


たとえば、ママ歴10年の人であれば、ママ歴0年の人にいろいろアドバイスできるはずです。ビジネスは単純です。自分の知っていることを知らない人に伝えて喜んでもらうことです。


でも、あなたはこう言うかもしれません。「こんなことがお金になるわけがない」。

冒頭でもお伝えしましたが、ビジネスはマインドセット、考え方が重要です。

あなたの常識や当たり前を信じて生きている限り、それ以上の人生になることはできません。

ですから、この本を読んでいるときだけでも、私のことを信じてついてきてほしい。

あなたの人生が絶対変わっていくと約束します。

例1：お客さまの声

まったくのビジネス経験ゼロの段階から私を頼ってくれたお客さま。最初は平均1万〜7万円の売り上げだったが、今月、2人で一緒に覚悟を決めたことで50万円の売上の見込みとの報告が。決めるってほんと大切！　私、泣いたよね。

例2：お客さまの声

ダイエット脳オンライングループのサポート生からうれしい報告が届いています♪

――【お客さまの声】――

「49歳 接客業」

●1カ月の減量結果を教えてください

↓

↓

体重マイナス5・6キロ、体脂肪マイナス5・1％

●今までのダイエットとダイエット脳プログラムの違いについて教えてください！

↓

今までのダイエットは基本食べない、置き換えなどでなんとか痩せようとしていたけれど、このダイエット脳プログラムは食べて痩せる！　まさにその通りでした。好きなものを食べて痩せられるって身体にもいいし、痩せ体質にもなって言うことありません！

みなさん楽しくダイエットを進めることができているので、私もうれしいです♪

例３：自分のすごい成果

急遽企画した無料動画セミナーを１０００人の方に見てもらえました！
感謝のコメントもたくさんもらえてうれしいです！　ありがとうございました！
わかったのは、やっぱり決断して行動が大切だと思いました！

4 サービスの告知や募集、LINE公式への誘導投稿

あなたの商品・サービスを告知したり、募集したり、LINE公式に誘導する投稿などは定期的にしましょう。

SNSで告知してしまうとうんざりされるのではと思うかもしれませんが、きちんと告知して募集していない場合、LINEに誘導しない場合は、見込み客は、あなたがどのようなサービスを提供しているのか知ることができません。

すると、ライバルにどんどん流れていってしまいます。

告知や募集を定期的にすることによって、あなたのサービスを認知してもらうきっかけになるので必ず投稿しましょう。

ここで、「人が集まらなかったらどうしよう」と心配をする人もいるかもしれませんが、それは気にしなくてもOKです。

一人も来なくても定期的に情報発信して募集していれば、必ず誰か申し込んでくれるようになります。

1回の失敗で落ち込まずに、継続することを意識しましょう。

例1：投稿の文章の最後に告知や募集を入れる

〝好きなもの〟を〝好きなとき〟に食べても
一生痩せられる人生最後のメソッドとは？

ラク痩せダイエット脳オンライン無料ＬＩＮＥ講座

３１５８人がわずか２カ月で「平均３・８キロ」減量成功した
「脳から変えるダイエット法とは？」
「無料プレゼント配布中」

期間限定無料配布中‼
プロフィールよりＬＩＮＥに友だち追加するだけでもらえます！

例2：期間限定プレゼント

～年末年始大プレゼント企画～
年末年始♪　完全攻略マニュアル無料配布!!　※○月○日まで限定

今年たくさん応援してくださったフォロワーの皆様に最高の恩返しをしたくて無料プレゼントをご用意しました。
※通常はサポート生にも配布する有料マニュアルです
皆様がいるからこそたくさんのダイエット難民を成功に導くことができました。本当に感謝です。だからこそ！

「年末年始を思いっきり楽しみたいけど、太りたくないあなた必見！」

～誰でも簡単にお金をかけずにできる！　年末年始に太らない方法教えます♪～


「プレゼントの受け取り方法」

プロフィールのURLからLINEの友だち追加でどなたでも受け取れます。

※友だち追加時のご挨拶にて配布します！

〜その他無料豪華企画特典〜

❶年末年始完全攻略無料プレゼント

❷大好評♪　１００００人が受講している読むだけでみるみる痩せる無料ＬＩＮＥ講座プレゼント♪

（友だち追加すれば自動ではじまります！）

❸年末年始後の過ごし方プレゼント♪

※お正月休みが終わる頃にＬＩＮＥにて配布します！

以上、豪華な無料特典もついていますので、ぜひ今年最後のお祭り企画にご参加ください。

フォロワー様に感謝の気持ちを込めました！

ぜひ無料プレゼントを受け取って、年末年始は体重を気にせずみんなで満喫していただけると、私はとてもうれしいです！　受け取りはプロフィールよりどうぞ。

3-4

いいね！が集まり売上に繋がる投稿の書き方とは？

先程までの項目で、ＳＮＳ投稿の種類や実例をお伝えしました。
次は、「いいね！」が集まり売上に繋がる投稿の書き方について詳しく解説します。
「いいね！」が増える投稿の書き方のコツは７つあります。

❶共感してもらう・してあげる（気持ちをわかってもらう）
❷感動してもらう
❸自分ごととして考えられる
❹悩みが解決する
❺あなたの想いや考え、哲学、信念などを伝えている（価値観を伝える）
❻面白い、続きが気になる
❼写真（画像）や動画が素敵

7つが全部入っている必要はないです。

できるだけ意識してみようということで、7つの内1つも入っていない投稿があっても問題ないので気楽に読みすすめていきましょう！

1 共感してもらう・してあげる（気持ちをわかってもらう）

人は共感すると勝手に親近感を覚える生き物（自分と似ている人だと思ってもらえる）だと知っておきましょう。

さらに、あなたが投稿のなかで見込み客の悩みや考えに共感することによって、見込み客が「自分の気持ちをわかってくれる人」と親近感を持ってくれます。

たとえば、次のAとBのような投稿があったら、あなたはどちらの文章に「いいね！」を押したくなるでしょうか？

A「ダイエットなんて気持ち次第でしょ！　太っている人は自分に甘い。やることやってないだけ。この〇〇をちゃんとやれば痩せるに決まっている！」

B「自分も昔とても太っていて、ダイエットを決意するも、三日坊主を繰り返し、短期的なダイエットばかりでリバウンドを何度も経験しました。

さらにサプリやダイエット器具にも手を出したのでお金も時間もかなり使いました。ですから、今あなたがダイエットで困っていて、なんとかしたい！　という気持ちが痛いほどわかります。だからこそ、私が改善のために考え出した方法はこちらです」

Aは、耳が痛くなるだけです。大半の人がきっとBに共感して頑張ってみよう！と「いいね！」を押したくなるはずです。

そうやって投稿の中で、「そうそう、そうなんです」と相手が共感する文章を書いていくことができれば「いいね！」が増え、親近感に繋がりやすいです。

2 感動してもらう

これはもう説明が不要なほどシンプルです。

あなたの過去の辛かったエピソードや乗り越えた過去、仕事へかける想い、お客さまの感動エピソードなど、あなたが泣けるような、胸が熱くなるようなストーリー性のある投稿をします。

これを書くのはとても難しいので、練習しながら、書けるようになりましょう。

3 自分ごととして考えられる／4 悩みが解決する

たとえば、目の前に本が2冊あります。あなたはどちらを手に取るでしょうか？

1冊目「この本は70歳以上の方に役立つ本です」

2冊目「この本はSNSを使い、副業・起業で収入を増やしたい人に役立つ本です」

この本を手に取っているほとんどの人が、2冊目の本を選ぶと思います。

何が言いたいかと言うと、あなたが**発信する内容が「見込み客」の考えていることや疑問に思っていることに関するテーマ、タイトルになっていると、読者に最後まで読んでもらうことができる**ので「いいね！」が増えていきやすいです。

5 あなたの想いや考え、信念などを伝えている（価値観を伝える）

あなたが日々何を考え、何を思っているのかをしっかりと読者に共有することがとても大切です。そうすることによってあなたの価値観に共感が生まれ、親近感から尊敬や信頼に変わっていくのです。

たとえば、この文章を読むとどう感じるでしょう？

「私はただダイエットを教える人になりたくありません。巷では、ただ痩せるためのノウハウや情報があふれているが、それはその人にとって何の価値もないと私は思う。なぜなら短期間でいきなり強制的に痩せても、習慣が変わっていないので、またリバウンドする人が多いのです。

実は、私はお客さまがサポート期間中に痩せることにコミットしていません。

私がコミットしているのはその人の人生の好転です。

人生が好転するとなると、痩せることは通過点であり、痩せているのが当たり前になってきます。そうすればおのずと習慣が変わり行動も変わっていきます。

そんな人生の好転にコミットしているので、私がサポートさせていただいているお客さまは、『彼氏彼女ができた、会社で昇進できた、結婚できた』と痩せる以外にも人生で良いことがたくさん起きるのです。これからも人生がどんどん好転する幸せなダイエットの成功者を増やしたいと思っています」

発信者の想いや信念、哲学に共感して「いいな」と思う人が必ず出てきてくれます。

それに共感してくれたお客さまに対して商品・サービスを提供すると、何よりも成果が出やすくなります。

6 面白い、続きが気になる／7 写真（画像）や動画が素敵

単純に面白かったり、ユーモアがあったり、写真がいいなと思う投稿にも「いいね！」が増える傾向にあります。

ここでは、「いいね！が集まり売上に繋がる投稿の書き方」について書いていきました。ぜひ実践してください。

3-5

お客さまになってくれる〝友だち〟の増やし方

プロフィールも整って、ある程度、投稿発信の仕方がわかったけれど、見込み客に認知されないし、いいね！が増えないし、どうしよう……。

こんな状況にならないために、次は「SNSで自分の商品・サービスを購入してくれる友だちやフォロワーの増やし方」をお伝えします。

「そんな技があるなら先に教えてください！」と言う方もいるかもしれませんが、SNS戦略は取り組む順番がとても大切なのです。

今から取り組んでいくのは、見込み客にこちらからアクションをすること。

つまり、いいね！やコメント、友だち申請（Facebook）やフォロー（Instagram）をします。

想像してみてください。

あなたは、痩せたいと常に考えていて、SNSでダイエットの情報をたまに見たり、

友だちやフォロワーが増えるしくみ

1 あなたのサービスに興味がありそうな人にアクションをする！
（アクション：いいね！やコメントをつける、アカウントのフォロー、友だち申請など）

↓

2 見込み客はSNSの通知でアクションが来たことを知り、誰からなのかを確認する

↓

3 あなたのアカウントのプロフィールや投稿文で、見込み客に関心を持たせることができればアクションが返ってくる（フォローバックなど）

**大前提として、①あなたのプロフィール、②アイコン、③有益な投稿が揃っていることが条件！
どんな人かわからない相手からのアクションに、人は反応しない**

収集しているとしましょう。

そして、たまたま知らないアカウントからあなたがフォローされる、または投稿にいいね！やコメントをされたとします。あなたは「誰だろう？」と気になって相手のアカウントを見にいきませんか？

そんなときに、相手のプロフィールや投稿がほとんどなかった場合、あなたにとってそのアカウントは全然興味のないものと判断し、もう二度と見ることはないでしょう。

逆に、とても興味のある内容を投稿していたり、プロフィールがとても魅力的だった場合は、相手のアカ

ウントの投稿などを無意識にいろいろ見てしまうと思います。

そして、あなたにとって興味のあるアカウントだと思う場合は、フォロー返しや、友だち申請を承認する可能性が高いです。

先程、順番が大切とお伝えしたように、まずは土台作りとして、プロフィールを整え、ある程度の投稿をしておくことが、この段階に入るまでに重要なことなのです！

高確率で見込み客になる〝友だち〟を増やす方法

ＳＮＳで見込み客となるフォロワーや友だちを増やすイメージはついたかもしれませんが、フォロワーや友だちが増えても、あなたに興味のない人が多かったらまったく意味がありません。

だからこそ、高確率であなたの見込み客となるフォロワーや友だちを増やすことが必要となるので、その簡単な方法をお伝えしていきます。

その方法とは、たった２つのことをするだけです。

❶モデリング対象としている同業ライバルの投稿をチェックする

❷ライバルの投稿に「いいね！」「コメント」している人にアクションをする（いいね！やコメント、フォロー、友だち申請）

モデリング対象としているライバルの投稿にアクションしている人を分類するといくつかパターンに分けられます。

- **友だち関係（リアルの繋がり）**
- **その人の投稿内容に興味のある人たち（見込み客）**
- **同業や業者など（同業＆ライバル）**

この分類の中で、大きな部分を占めるのが「その人の投稿に興味がある人たち」です。その人たちは、あなたの発信内容やプロフィールに興味をもつ可能性が極めて高いはずです。

高確率でお客様になるフォロワー(友だち)の増やし方

① モデリング対象の同業ライバルの投稿をチェックする

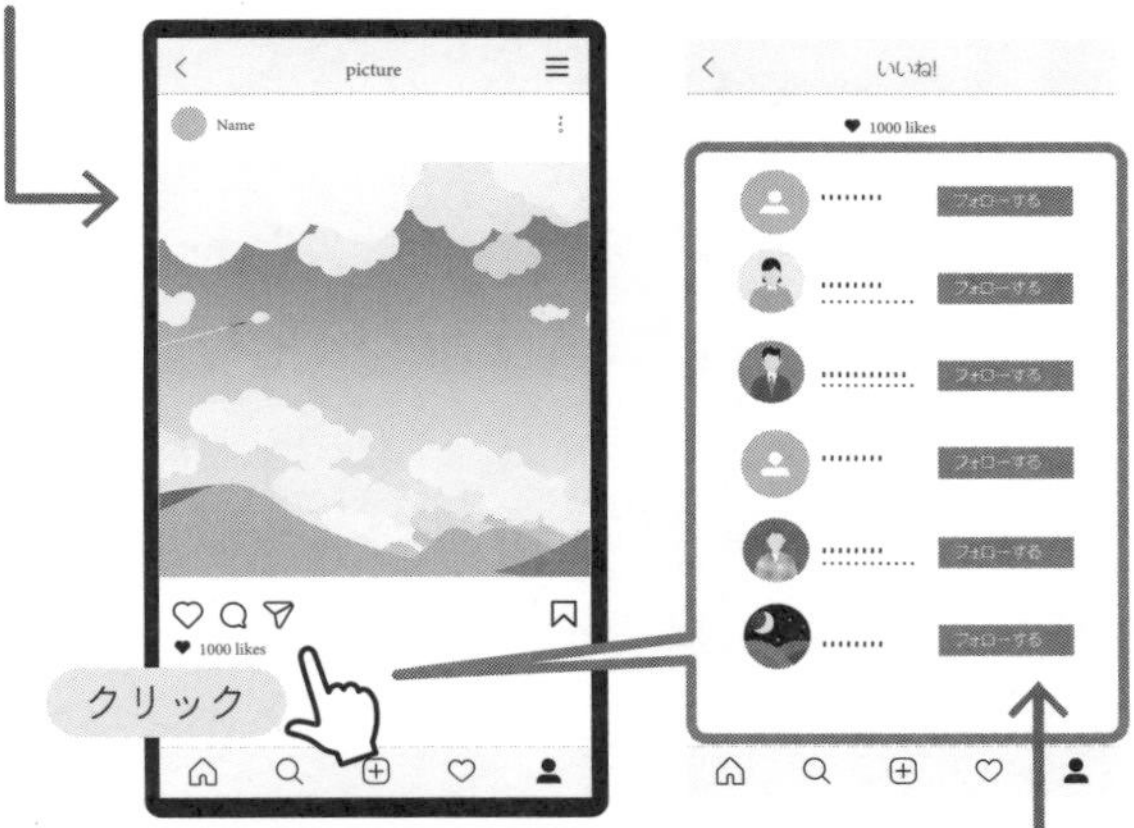

② 同業ライバルの投稿にいいね！や
コメントしている人をフォロー＆友だち申請

同業ライバルの投稿にいいね！やコメントしている人は、
その投稿内容に興味がある

ということは…
あなたの発信内容にも興味を持つ可能性が高い！！

そして、直近の投稿にいいね！やコメントをしているということは、そのSNSを頻繁に開いている可能性が高く、あなたのアクションに対しても、反応してくれる確率が高いのです。

以上の簡単な方法を使いあなたの見込み客となるフォロワーや友だちをコツコツ増やしていきましょう。

注意点として、SNSは基本的にコミュニケーションツールなので、スパム（業者などの迷惑行為）を嫌うようなシステムになっています。

ですから、短時間で大量のアクションをしてしまうと、アカウントが一時的にロックされてしまうことも起きます。そのため、ゆっくりコツコツが大切です。

どれくらいの量のアクションをどれくらいの時間で行えばいいかについては、SNSのアルゴリズム（ルール）がその都度変わるので明確にお伝えするのは控えます。

またアカウントによっても制限のルールが異なるので、あなた自身でチェックして検証するのがおすすめです。

そうやってコツコツとフォロワーや友だちを増やしているうちに、いいね！やコメントの数も少しずつ増えて、あなたの情報を楽しみにしてくれる人が出てくるようになってきます！

何度もお伝えしているように、ＳＮＳとはコミュニケーションツールなので、コメントをもらったらお返事したり、時には相手のアカウントを見て、アクションをしにいきましょう！

そうすれば信頼関係が少しずつ積み重なり、ゆくゆくはお客さまになってもらえるかもしれません。

ＳＮＳも現実も人間関係が大切なのは変わらないです。しっかりコミュニケーションを取って信頼を積み重ねていきましょう。

🌐自分で体験しよう

何度も何度もお伝えしていますが、ＳＮＳを使いこなしていくにはあなたが自分で体験することが最重要だと私は思っています。

「人はなぜＳＮＳから物を買うのか？」という知識を文章だけで学んでも、私はあんまり意味がないと思っています。

だからこそ、あなたが深く理解するためには、あなたが活用していくＳＮＳをしっかり自分で使ってみて、あなたが興味あるものやことがらを調べてみて、欲しい物が出てくるのかどうか、のめり込むことがあるのかどうか、プロフィールから他のサイトに誘導されてしまうか、それともまったく理解できないかをあなた自身がしっかり体感、経験することが本当に大切です。

ぜひあなたが使うＳＮＳにハマってみてほしいです。

注意点としてうまく活用している人は、人間心理を巧みに操り、見込み客がうまく行動するように促しているので、衝動的な浪費だけは気をつけてください（笑）。

あなたが新しい世界を知るきっかけになるとうれしいです。

STEP

4

世界一簡単なあなたの好きや経験をお金にする方法（ベーシック）

〝欲しい〟と言われる販売方法を身につける！

STEP 4

世界一簡単なあなたの好きや経験をお金にする方法（ベーシック）

〝欲しい〟と言われる販売方法を身につける！

このステップでは、あなたの好きや経験を売上に繋げるためには欠かせない販売手法について具体的にお伝えしていきます。

SNSでモニターを獲得し、ファーストキャッシュ（はじめての売上）を得るところまで進めていきます！

その前に、簡単な復習も踏まえて、「商品・サービスとは何か？」「どうやって作っていけばいいのか振り返りましょう。

4-1

あなたの好きや経験を活かした「お悩み解決パッケージ」を商品にしよう！

まず復習です。ビジネスとは、「悩みを解決してくれる商品・サービスにお金のやり取りが発生する」ということをお伝えしたのを覚えていますか？

あなたがこれから提供していく商品・サービスを**「お客様が抱えているお悩みを解決するために必要なことを全部まとめたもの」＝「お悩み解決のパッケージ（パッケージ商品）」**と考えてみましょう。

たとえば、ダイエットしたい人が抱えているお悩みを全部解決するために、3カ月の期間を使い、食事の添削をしたり、有効な知識、運動、大切な考え方を全部まるごと伝えていくことが「お悩み解決のパッケージ」です。

他にも、パワーポイント資料やランディングページなどを作る制作代行や、実際に商品を制作して販売する物販などもあるので、あなたがやりたいことをリサーチしていけば、どのような商品・サービスを提供すればいいのかがわかるようになります。

商品パッケージの簡単な作り方

商品パッケージとは、「悩み解決に必要なことを全部まとめたもの」です。

これを具体例で解説しましょう。

たとえば、ダイエットをしたいと考えているけれど、三日坊主になりがちで、リバウンドを繰り返している人は、どのように悩み、どのような問題、原因で痩せられないのか仮説を立ててみましょう。

三日坊主、リバウンドを繰り返す人は……、

- **ダイエットは短期間で行うものだと思っている**
- **ダイエットはきついものだと思っている**
- **ダイエットは我慢するものだと思っている**
- **ダイエットは食べてはいけないものだと思っている**
- **ダイエットをはじめると、すぐに自暴自棄になってしまう**

- 仕事帰りのコンビニスイーツの誘惑に勝てない
- 少し痩せたらまたもとの生活に戻ってしまう
- ダイエット中に、どのようなものを食べたらいいかわからない
- どのような運動を取り入れればいいのかわからない
- 自分に合うダイエット方法がわからない
- 一人だと行動が続かない

これらの解決方法は、次のようなものになります。

- ダイエットの考え方を変える（マインドセット）
- 食習慣を根本的に変える
- ダイエットや身体の知識を少し覚える
- ダイエットの習慣を身につける
- オーダーメイドでのダイエットプログラムを作る
- 自分で継続できるようなサポートを提供する

それを知識ゼロの状態からお客さまに伝えるには、「どれくらいの期間、どれくらいのサポートが必要で、どのような内容をどのような順序で取り組んでもらえばいいか？」を考えてパッケージするのが1番簡単な商品・サービスの作り方です。

またこの**サポートとは、メールやLINEでの質問や相談、月に数回マンツーマンでのノウハウ提供や進捗相談などを含めた、お悩み解決までに提供するサービス全般のこと**を指します。

そして最終的には、ターゲットの悩み（三日坊主、リバウンドを繰り返していて、なかなか痩せることができない）に対して、解決方法とサポート（お客さまが理想の未来の状態になれる方法）を提供します。

このダイエットの事例の場合、具体的には、

- **オーダーメイドでのダイエットプログラムを一緒に考えて作る**
- **自分で継続できるように3カ月間サポートする**

●**毎日の食事の添削や報告をしてもらう**
●**ダイエットの考え方を変える方法（マインドセット）を伝える**
●**食習慣を根本的に変える食事添削とレシピを伝える**
●**ダイエットや身体の知識を少し覚えて実践してもらう**

これらを毎日の食事の添削指導と、3カ月で6回（90分×6回）のセッション（進捗確認とノウハウ提供など）に加え、LINEやメールでの質疑応答の形で提供します。

その結果として、お客さまに理想の未来（三日坊主を克服し、リバウンドナシで、毎月1~2キロ痩せるようになって、自分で自分の体重をコントロールして理想的な体型を維持できる状態）を手に入れてもらうということ。

これが、商品パッケージを作成してお客さまに提供していく流れです。
あとはこれに自分の力量や相場を見ながら自分が欲しいと思える値段をつけて提案することで一連の流れが完結します。

自信がなくても大丈夫、困りごとのヒアリングからはじめよう

ここまでで商品・サービスを作成し提供する、大体のイメージはつかんでいただけたでしょうか？

一方で、「自分にそのサポートの自信がありません」「解決策がわかりません」という方もいると思います。

ですが、あなたにとってはできて、当たり前のことや経験、好きなことが、目の前の人の役に立つことがあるのです。

ですからまず、SNSで繋がっている人たちや周囲の友人などに、**何に悩んでいて、今どのようなことに困っているのか、そしてそれを改善してどのような理想の未来に行きたいのかを詳しく聞いてみましょう。**

話を聞けば、あなたがお手伝いできることがきっと見つかるはずです。

そして、具体的にどのような解決策を示せるのか自分なりにまとめましょう。

またもし、あなたが自分でその悩み解決の方法などをまとめることができないなら

情報をまとめるだけでも価値がある

困っていること　　　　あなたのサービス

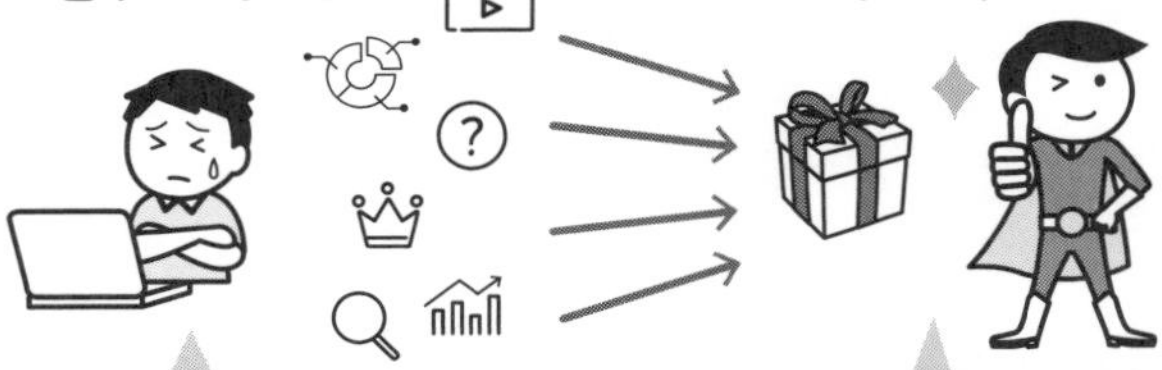

・必要な情報を集められない
・自分に合う情報が何かわからない
・時間がない
・行動できない

・お客様が求めていることにピッタリの情報がまとめてある
・お客様だけのオーダーメイドの情報
・行動するための親身なサポート

＝

困っている人にとっては非常に価値があること！

ば、その悩み解決の本を数冊読んで、悩みが解決しない問題の原因と解説策をつかみましょう。

それをまとめて言語化し、サポートすれば商品・サービスの完成です。

商品・サービスは2段階提供で〝欲しい〟と言わせる

いきなりですが質問です。あなたはマイホームを、いきなりネットで購入することはあると思いますか？　ほとんどの方が、NOと答えると思います。

高額な商品・サービスほど、詳しく話を聞いたり、検討したりしたい

商品サービスは２段階で提供する

最初に無料の情報を受け取ってもらう
（各 SNS から LINE 公式アカウント に登録など）

↓

❶ お試し商品を提供

低価格帯の集客商品 FE（フロントエンド商品）
無料～5000 円ほどの低価格商品

↓

❷ 本命商品を提供

高額な BE（バックエンド商品）
５万～100 万円の本来販売したい高額商品

※いきなり高額商品を販売するのではなく、お客様に試してもらってお互いをよく知る。
そして、お客様にとって BE 商品が必要かどうかをあなたが判断して提案

もの。

だからこそ、マイホーム購入には、「無料の相談会」「住宅展示場」「モデルルーム見学会」などがあり、多くの人が最初はそこを訪れます。

住宅販売における「マイホーム」とは、私たちが販売する商品のうち、**「バックエンド商品（ＢＥ）」**と呼ばれるものにあたります。本来販売したい、大きな収益が出る商品です。

そして、「無料の相談会」「住宅展示場」「モデルルーム見学会」を、**「フロントエンド商品（ＦＥ）」**に

あたります。これは、**本命商品に興味がある人達を集めて購買意欲を高め、販売するための商品**です。

商品・サービスを2段階で提供するとは、FE→BEの流れで売ることです。

世の中の高額商品は「ネットやSNSでの無料の情報」→「FE」→「BE」という流れで販売されています。

つまり、**SNSで価値提供→無料のプレゼントでLINEへ誘導→FEを提供→高額サービスを販売提供（BE）**となるのです。

そこで次は、FEとBEについて詳しく解説します。

フロントエンド（FE）商品とバックエンド（BE）商品

FEとは、集客するための安いお試し商品で、いわばスーパーの試食。

BEは、本来販売したいお客さまを理想の未来につれていくための高額な本命商品のことです。

ＦＥで人を集め、その中からＢＥが欲しい方に販売提供するという流れです。

まずは、**集客するための安いお試し商品「ＦＥ（フロントエンド商品）」**を解説しましょう。

たとえば、マクドナルドの「コーヒー無料券」は集客するためのＦＥの役割を果たしています。無料コーヒー（ＦＥ）で人を集め→本来食べてもらいたいハンバーガーセット（ＢＥ）を販売しているのです。

サブスクリプションのNetflixやHuluなどの場合、無料お試し期間（ＦＥ）で集客して→本来販売したい月額サービスの提供（ＢＥ）につなげます。

しかし、私たちが提供する商品・サービスを考えたときに、一番参考にするべきなのは**無料相談**。わかりやすいのは「保険の窓口」です。

「保険の窓口」の場合、「保険の専門家」というポジションで無料相談というＦＥを使って人を集め、その相談の中でお客さまにマッチする保険を紹介し契約（契約手数料がＢＥ）という流れです。

フロントエンド・バックエンド商品のそれぞれの目的

FE商品（フロントエンド商品）の目的とは？

・お客様と直接話す機会を設けることで信頼関係を構築できる
・お客様にBE商品が本当に必要かどうかの判断をする場所
・**お客様の悩みの「本当の原因や問題点」を知ることができる**
（集客用の商品なのでお客様が“受けてみたい”と思える内容にする）

BE商品（バックエンド商品）の目的とは？

・お客様の悩みの「本当の原因や問題点」を解決することができる
・長期的なサポートで解決するまで導いていくこと
（商品の契約期間が3カ月～12カ月になる内容にする　※業種により異なる）

また、FEは集客以外にも目的があります。

それは、販売者（あなた）のことを知ってもらうこと、お客さまとあなたの間に信頼関係を作ること、商品・サービスの味見（お試し）してもらうことです。

そして、見込み客の新しい気づきや学び、悩みの問題点や原因をお伝えすることによって、その後のBEに対して「この人にお願いしたい」「この人にならば任せても大丈夫」と思ってもらい、契約につなげる。これがFEのもう1つの役割です。

SNSを使った起業の主流のFEは、無料相談、セミナー、体験セッション、お茶会（交流会）、勉強会などで、価格は無料～5000円程度です（詳しいFEの種類ややり方、コツなどは、ステップ5で解説します）。

あなたが取り組みたいビジネスの業種・サービスでは、どのようなFEが主流なのかをリサーチ分析することで、あなたがどのようなFEを作ればいいかがわかってくるはずです。

次に、**本来販売したい高収益が見込める本命商品「BE（バックエンド商品）」**についてです。

BE商品の役割は「サービスを提供してお客さまの悩みを解決するサポート」です。FEが、「集客しお客さまの問題点や原因を知る商品」であるならば、BEは「その問題点や原因を解決する」商品になります。

悩み解決の方法をお伝えしながら一緒に進めていくので、ある程度の期間や回数が必要になり、金額も高額になることが多く、5万～100万円と幅広く提供されています。

たとえば、パーソナルトレーニングのジムなどは、入会金5万円、3カ月のサポートで20万円。プロテインやサプリメントの購入のため追加で5万円などと、3カ月で30万円程度かかることが多いです。

BE商品は最初から内容を決めずとも、相手に合わせてオーダーメイドで作成してもいいですし、コースを3つ程度決めて提案することもおすすめです。

後ほどお伝えしますが、起業初期は、モニター価格で募集することが多いので、いきなり高額を請求することはありませんので安心してください。

モニターを募集しよう

起業初期のうちは、**商品・サービス提供の練習のため、モニターといって、自分の商品・サービスに興味がある人を対象に低価格で提供します。**そして、その反応をもとに、サービス内容を固めたり、改善したりするのです。

モニターのメリット

モニターを募集することのメリット

・お客さまと一緒にバックエンド商品･サービスを作っていくことができる
・バックエンド商品を提供する練習ができる
・「お客さまの声」をいただくことができる ⟶ 次の集客に役立つ

モニターになるお客さまのメリット

・モニターになることでサービスを通常よりも安く受けることが可能
・結果が出ない場合、期間延長や全額返金などの保証がある

モニターになってくれるお客さまには感謝しよう！
自信がなくても、お客さまに全力で価値を提供して
商品サービスをブラッシュアップさせよう！

見込み客のお悩み改善にはどういったものが必要で、何が足りないのかをブラッシュアップするためにも、安い価格でも精一杯提供すると、よりよい商品・サービスの完成につなげることができます。

では、あなたのBE商品を形にするための質問をしていきましょう。

これに答えていくだけで、あなただけのBE像ができあがります。

まだ完璧に作り込まなくても大丈夫なので、まずはすべて想像で書き出してみましょう。

❶お客さまの悩みの設定

お客さまになりうる人を10人リストアップし、その人たちに対して直接以下の質問をしましょう（想像でもＯＫ）。

- 現在何に悩んでいるか？
- どれくらいの期間悩んでいるか？
- 悩みが解決しない原因は何か？
- 原因に対し対策や改善策に取り組んでいるか、または取り組んでみたか？
- どのようなことが解決・改善できたか？
- 悩みを解決したら、どうしたいのか？　やりたいことがあるか？　どのような人生にしたいのか？　ライフスタイル（理想の未来）はどんなものか？（目標や目的）
- どのような商品・サービスがあったらうれしいと思うのか？

❷改善策の設定

- お客さまの悩みの根本的な原因は何か？

・あなたはどうやってお客さまを改善させてあげられるか？
・お客さまはどのような理想の未来を望んでいるか？
・お客さまはどのようなサービスであれば欲しがってくれそうか？

❸サポート内容の設定

・お客さまの悩みが改善するために必要なことは何か？
・どのような関わりが必要か？
・どのような情報や技術、知識を提供すればいいか？
・どれくらいの期間・時間が必要か？
・どのようなサポート内容が必要か？
・その他必要なことがあれば書き出す

❹価格の設定

・ライバルはどのようなFE↓BEで販売していますか？
・ライバルのサービスの価格はどれくらいですか？

❺ 提供方法の設定

- どれくらいの提供期間がいいか？
- どのくらいの提供回数・開催回数がいいか？
- どのような形でサポートを提供したらいいか？
- 成果が出なかった場合に保証や特典はどうするか？

やってみよう！

先程の5つの質問で答えた内容をもとに自分の商品を作り、この文章を完成させてみましょう。

どのような悩みを持ったお客さまに、
どのような解決方法＆サポートを提供し、
どのような理想の未来へ、
どれくらいの期間でつれていきますか？

4-2

販売、セールスとは？必要なマインドセットを整えよう

営業やセールスの本を読んでみると、テクニックやノウハウがビッシリ載っていますが、テクニックやノウハウは限られた場面のシチュエーションでしか有効ではなく、なかなか成果に繋がりにくいと私は思っています。

もちろん後ほど、具体的なセールステンプレートも解説しますが、セールスマインドセットが整っているだけで、勝手に口から言葉が出てきて、相手から欲しいと言われるあなたになることができます。

「売り込みせずにお願いされるセールス術」

セールスと言うと、苦手意識がある人が多いかもしれませんが、実はとても簡単です！

まず、**「お客さまの困りごと、悩みごと」**と**「それが改善したらどうなりたい**

のか」をしっかり聞きます。

次に、**改善した状態を実現するために「達成したい」「改善したい」と強く感じてもらいます。**

最後に、実現に向けて**「自分はあなたの力になれるので一緒にやりませんか？」とお伝えする**こと。これが売り込みせずに相手からお願いされるセールスの基本です。

そもそもセールスとは人助けです。「売る＝お客からお金を奪うこと」「売る＝押し売りすること」とネガティブに感じる人が多いかもしれません。

しかし、感謝されながら売る人が共通して持っているマインドセットは「セールスとは人助け」ということです。

振り返るとあなたもいい提案をされたことがあるはずです。

いい提案とは「お客さまにとってメリットがあり、よろこんでくれる」こと。

服を買うときに、「普段はどのような洋服を着ていますか？」と店員さんに聞かれて、「じゃあ、これなんていかがですか？　今着ていらっしゃる服にも合うと思いますよ！」など、ありがたいと思えるようないいセールスもありますよね。

大切なのは、自分の力が相手に1％でも貢献できるなら必ず提案したほうがいいということです。

でも、世の中の半数以上の人が「セールス、営業、提案」という言葉に対してネガティブに反応してしまうのは、セールスマンが自分の利益のことばかり考え、あなたにとって不愉快な提案を受けたことがあるからだと思います。

逆にあなたの一番大切な人に、「あなたは○○だから○○が必要だと思うよ！」とおすすめされたら何も嫌な気持ちはせず、素直に「わかりました！　ありがとうございます！」とお礼まで言うと思います。

ですから、これからあなたには、相手の話をきちんと聞いて、相手の状況をしっかり把握し、相手のために、私は力になることができますよ！　と伝え、相手を助ける行為であることを心の奥深くに刻み込んでおいてほしいのです。

セールスの本質

実は“買ってもらうこと”は超簡単

お客さまの“困りごと”をたくさん聞く

↓

「解決したあとにどうなりたい？」
お客様の理想の未来を引き出す

↓

理想の未来を叶えるお手伝いができるので
よかったら一緒にやってみませんか？
私にぜひ応援させてください！

と伝えるだけ！！！

大切なのは、相手のためを思うこと。そして自分の力で相手に1%でもお役に立てるならできるだけ提案（セールス）をしたほうがいいのです。

あなたは十分価値のある人間で、目の前の人に価値を提供できる人なのです。

たくさん話を聞いて理想の未来を一緒に設定するだけ

話を聞いていくうちに相手の目標を引き出せたら、あなたは「その目標に向けてお手伝いしたいから一緒に進みませんか?」と伝えてあげるだけでセールスは完了です。セールスとは人助けです。そのためには、相手の話をたくさん聞くことがとても重要だということは、もうわかりましたよね。

- **お客さまは何を求めているか?**
- **何に悩んでいるか?**
- **どのような理想の未来(目標)にいきたいか?**
- **それに対して取り組んだことは何か?**
- **挫折経験はあるか?**
- **どれくらい本気で解決・改善、目標達成したいか?**
- **なぜその理想の未来(目標)にいきたいか?**
- **問題が解決したらどのような人生に変わるか?**

このようなことを意識しながら話を聞いていると、お客さまは、「その理想の未来にいきたい！」「目標を達成したい！」「今の悩みや困りごとを改善したい！」と本気で思うようになります。

そこで、あなたがお客さまの力になれるのであれば、「私でよかったらその目標達成のお手伝いができますよ。あなたの夢を一緒に叶えさせてもらえませんか？」と提案してみることが大切です。

そのためには、最初のうちはあなたの商品・サービスのことにはほとんど触れず、相手の話をたくさん聞くことが最重要です。

話す割合としては、あなた2割、お客さま8割のイメージで話してもらうこと。

だからこそ、**セールスはヒアリング（相手を知る質問）がすべて**なのです。

4-3

人はなぜお金を出して商品・サービスを購入するのか？

人は商品・サービスを買うのではなく理想の未来や感情を買うのです。

私達は日常的に商品・サービスに囲まれ、日々購買活動をしています。金額が高くなるにつれて、人はその商品・サービスそのものが欲しいのではなく、その先の「理想の自分の状態や感情を味わいたい」からお金を払います。それを知ることが重要です。

たとえば高級車を購入する場合、なぜ高級車なのでしょうか。

その車のエンジン性能が優れていて、職人の仕事が好きで、そのブランドの伝統をリスペクトしているという理由で、高級車を買う人は少ないでしょう。

本当の購入理由は、高級車に乗っているという素敵な自分になれるからです。

「すごい」と言われる優越感や社会的ステータスという理想の未来やそのときに得られる感情を味わうために高級車を購入する人が多いのです。

あなたもこれから自分の商品・サービスを販売するうえで、お客さまの理想の未来や得たい感情を考えてアプローチすることで、「あなたから商品を買いたい」と言ってくれる人が増えます。このしくみは頭の中にしっかり入れておきましょう。

やってみよう

お客さまはあなたの商品・サービスを購入してどのような理想の未来にいきたいのでしょうか？　自分の見込み客の悩み、欲求、改善したいことは何ですか？

- **なぜ悩んでいるのか？（相手目線で）**
- **それを解決してどのような未来にいきたいか？**
- **なぜその未来にいきたいか？**
- **その理想と現実とのギャップ（原因）は何か？**
- **それを解決するために本人が取り組んでいる行動は何か？**
- **提案できる解決策は何か？**
- **その解決策のなかに理想の未来につれていけるようなものはあるか？　また、どうすればその原因をあなたが解決できるか？**

4-4

〝欲しい〟を引き出す7つのポイント

私がこれまでに販売してきた経験から、次の7つのポイントを5点満点で満たしていれば、お客さまは「あなたから欲しい」という状態となり商品・サービスが売れていくことがわかりました。

これはただの知識として学んでもまったく意味がないので、しっかり実践しながら身につけていきましょう。

ぜひセールスのときにこのメモを近くに置きながら取り組んでみましょう。

1 あなたの商品・サービスに根拠のない自信を持つ

あなたが「自分の商品・サービスは素晴らしいに決まっている」ときちんと思えているのかがとても重要です。根拠はなくても大丈夫。

この項目が満点になっていれば「お客さまの力になれるに決まっている。だからこそ、高額のお金をいただく価値がある」と思えているはずです。

2 お客さまとの信頼関係を築く

これは、お客さまにしっかり興味関心を持ってコミュニケーションを取れているのか？　心を許してもらえているか？　という信頼関係を確認する項目です。

この項目が満点になると、お客さまは「あなたから商品・サービスを購入したい、あなたにサポートしてほしい」状態になります。

3 予算やお金に対する価値観を知る

お客さまのお金に対する価値観や予算を確認します。

- **お客さまはどれくらいの予算を考えているか？**
- **今までにどれくらいの金額を、その悩み改善にかけてきたか？**

● どういったことに大きくお金をかけるのか？　逆にかけないのか？

これを知ることができれば、もしお客さまが予算を低く見積もっていたとしても、はじめのほうで「大体これくらいはかかるもの」という概念を、いろんな例を持ち出して伝えると予算を上げてもらえる可能性があります。

さまざまな例を出していると、お客さまはあなたが提供する商品・サービスの相場を認識します。もし金額に抵抗がありそうであれば、事前に次のように伝えておきましょう。

「多くの人が分割払いにして、月々の出費を抑えて参加していますよ！」

これによって、お客さまの選択肢に〝分割払い〟という発想がインプットされます。すると、購入のハードルを下げることができるのです。

この項目が満点になれば、「購入の検討材料として値段は問題にならない」という状態になります。

4 いつまでに悩みを解決したいかを確認する

お客さまはいつまでに悩みを解決したいと考えているのか？　いつまでに欲しいのか？　いつまでに達成したいのか？　いつまでに決断しようと思うのか？

期間や期限をしっかり聞くことが大切です。それを聞くことでより親身に相談にのることも可能になってきます。

そして、お客さまが商品・サービスを購入したほうがいい理由を一緒に探すことで、お客さまは「本気で話を聞く状態」になります。

この項目が満点になると「もう今すぐ変わりたい！　購入したい！　手に入れたい！」という状態です。相手の時期に対する温度感を知る工夫をしてみよう。

5 他社回遊・他社比較・別手法の検討度合いを知る

お客さまが今あなたの商品・サービスを検討しているということは、何かを解決したがっている可能性が高いです。

そして、次のことがわかれば、あなたは、お客さまがライバルの話を聞いたほうがいいのかどうかという判断を一緒にしてあげることもできますし、他の人の話を聞かなくてもいい理由を一緒に探すこともできます。

たとえば、お客さまがあなた以外の商品・サービスを検討しているのかどうかや、他の話も聞いてみたいと思っているか？　その場合どの人の話を聞こうと思っているのかどうかなど。

もしくは、あなたが提供する改善策以外の手法を考えているかです。ダイエットの場合、オンラインダイエットサポートで相談にきているけど、痩せるなら、サプリやダイエット器具も比較検討として考えているのかどうかなどです。

親身に相談にのってあげることで、本当にお客さまにとって必要なことを一緒に考えて提案できるようになります。

例をあげると、ダイエットコーチのライバルはダイエットコーチだけでなく、サプリやジム通い、置き換え食などの手法を選択肢に入れている場合があります。

それを知っていれば、相手に対して、それはよくないと思う、自分がベストだと思ってもらえるような話ができ、ほかの手法や人が選択肢にあがらなくなります。

満点になると「他の人や手法はもう検討していない、あなたの手法がいい」という状態になっています。

6 目標設定をして興味関心の度合いを知る

次を知ることによって、今どのような話をお客さまとすればいいのかがわかるようになってきます。

- 目の前の相手は本当にあなたの商品・サービスを欲しているか？
- 気に入っているか？
- また、一緒に考えた理想の未来に本当にいきたいと思っているか？

この項目が満点になると「理想の未来を得るために、あなたの商品・サービスが喉から手がでるほど欲しい」という状態になっていきます。

7ステップ化で全体像を伝える

人間はわかりやすいもの、イメージしやすいもの、自分でもできそうなものを積極的に購入する傾向があります。

理想の未来を得るために必要な要素をステップ化して全体像を具体的に伝えることによって、「私が求めていたものかもしれない」「私でもできそう」「イメージできる！」と思ってもらうことで成約率が上がっていきます。

ここが満点になると「一緒に進めていくことで、理想の未来を得ることができそう！」「やることは全部わかった」という状態になっていきます。

この7つの項目を常に意識することで成約率を極限まで上げることができます。

この項目がすべて満点に近づいていなければ、最終的に断られる理由として多い、「お金がない」「他も検討したい」「まだ今じゃない」「具体的にイメージできない」「その未来は求めてない」「あなたが信用できない」というマイナス要因がほとんどなくなるのです。

🌐最初から売れると思わなくていい

最初からセールスが上手にできる人はコミュニケーションの天才くらいです。できる人はそうそういません。

最初は誰もが、あなたのように、「大丈夫かな?」と不安ばかり抱えています。

私は、前職のブライダルジュエリー時代に、2000人近くにセールスを行いました。全然成約できない時期もあって、ボロボロに落ち込み泣きながら、取り組んで来た結果、今のような考え方を手に入れて、高確率で販売できるまでになりました。

あなたが同じような経験や思いをしないように、私が10年以上かけてきた知識と経験をまとめたセールスのコツを余すところなくお伝えしているのです。

4-5

売上が上がる世界一簡単なマネタイズ方法（ベーシック）

このステップでは、難しく考えずにまずは最速で売上に繋がる方法をお伝えします。これでしっかりマネタイズ（お金につなげる収益化）とお客さまにサービスを提供する経験を積みましょう。

SNSの投稿から直接売上に繋げる方法には、2種類あります。

1つ目は、「アンケートマーケティング」によりモニターを獲得してサービスを提供すること。

2つ目は、「スキルシェアサービス」を使って自分の商品・サービスを提供すること。スキルシェアサービスとは、「ストアカ」「タイムチケット」「ココナラ」などのウェブサービスのことです（これはのちほど解説します）。

ではまずアンケートマーケティングについて詳しく解説していきます。

4-6

アンケートマーケティングでモニターを集めてマネタイズする

SNSから直接売上を上げる手法としてアンケートマーケティングを取り入れていきます。今までコツコツ取り組んできたSNS運用の成果が出るときです。

アンケートマーケティングとは、**あなたが提供する商品・サービスに興味のある人に、悩みや困っていることについて直接話を聞かせてもらい（アンケート）、「自分が力になれそうだ」と思った場合、モニターの提案をする**ことです。

そうすることでサービスを購入していただき提供するという流れです。

アンケートの目的として重要なことは、セールスして売上を立てることではなく、お客さまが何に困っているか、どのような問題があるかを実際に調査することです。

ですからここでは、セールスはせずに見込み客の話をしっかり聞くことに集中しましょう。

そして最終的にお客さまに聞いてみて、興味があれば提案してモニターになっていただきます。

「アンケートマーケティング（モニター）」を行う、メリットは次のようなものがあります。

- 短期的な売上げアップを見込める
- 見込み客の悩みと現場を知り、市場調査を行える→自分が打ち出すコンセプト（強みや特性）のブラッシュアップができる
- 人と話す訓練をすることで、ヒアリング能力（聞き出す力）、セールス能力が向上する
- 未完成商品・サービスを一緒に作り込むことができる
- 今後の集客のために「お客さまの声」をいただくことができる
- 実際にサービスを提供するので、どうサポートすればいいかがわかる

またモニターになってくださるお客さまのメリットとして、

モニターの集客方法

アンケートマーケティングでモニターを獲得しよう！

SNS運用をしてアカウントが育ってきたら
人を集める「テンプレート投稿」をしよう！

↓

テンプレート投稿により、あなたの商品サービスに興味がある人を
見つけて「DM（ダイレクトメッセージ）テンプレート」を送る

↓

話をしてモニターに興味があるかを確認する
（対面 or オンライン）

↓

興味がある場合、モニター参加の提案をしてみる！

●モニター価格（通常より安い金額）でサービスを受けることができる

●サポート終了後、変化がまったくない場合は延長サポートなどの保証がついていることが多い

ここまでで、「自分の棚卸し、マインドセット、プロフィール作成、有効な投稿、友だちやフォロワーを増やす戦略」を解説してきました。

ステップ通りに進められている場合、あなたはSNSの読者（フォロワーや友だち）と交流を深め、少し

ずつ信頼関係を築けているのではないでしょうか。そうであれば、大半の読者はあなたの情報発信を楽しみにしていると思います。そして読者のなかにはその情報に取り組んだり意識したりしている人もいらっしゃると思います。

たとえば、あなたがダイエットを教えている人であれば、ダイエットに関して有益な投稿を多くしているでしょう。そして読者もおそらくダイエットに悩んだり、意識高くダイエットに取り組んでいきたい人が多くいるはずです。

そこで、そのような見込み客をモニターとして獲得するためにアンケートを使う方法をおすすめしています。

見込み客にアプローチできる効果抜群の「モニター獲得投稿テンプレート」を紹介します。

モニター獲得投稿テンプレート❶

「人数限定。○○しないのに○○になれるサービスを考えているのですが、モニターに興味のある方はいらっしゃいますか？」

例：3名限定。ジム、置き換え、サプリ、制限なしで楽しく毎月1キロ痩せる新しいダイエットサービスを考えているのですが、モニターに興味のある方はいらっしゃいますか？？　興味のある方はいいね！やコメントで教えてください！

この例は、プロフィールを作るときにお伝えした「○○しないのに○○になれる」をそのまま投稿する方法です。

できる限り、見込み客が「喉から手が出るほど欲しい！」と思えるような内容にしましょう。リサーチ&モデリングで、どのようなキーワードやテーマが好まれるのかを見極め投稿しましょう。

モニター獲得投稿テンプレート❷

「これから誰もが簡単にできて喜ぶような○○の新サービスを作りたいのですが、人数限定でどなたかモニターになってくれる方はいらっしゃいますでしょうか？」

例：人数限定でこれから誰もが簡単にできて喜ぶようなダイエットの新サービスを作ろうと思うのですが、どなたか痩せたい人でモニターになりたい方はいらっしゃいますでしょうか!? 興味ある人はいいね！かコメントで教えてください。

これは、キーワードやテーマを出さずに、「簡単にできて喜ぶような新サービス」としているので、誰でも投稿しやすくなります。

モニター獲得投稿テンプレート❸

「○○の新サービス開発にあたり、○○に関するあなたのお悩みを教えてくれませんか？ できる限りのアドバイスを無料でさせていただきます。興味ある人はいいね！かコメントで教えてください。

この3つ目の例は、モニターの件を完全に伏せて、無料で相談・アドバイスを行うという名目で投稿する一例です。モニターの話での募集とは異なるので、**人数をた**

くさん集めたいときや、お悩み調査をしたい場合に有効です。

モニターの提案は、お客さまに興味がありそうなら、当日お伝えします（後ほど詳しく解説）。

テンプレートを投稿したら直接メッセージを送ろう！

SNSに投稿したあと、いいね！やコメントを確認すると、誰が投稿に興味があったのかがわかるので、その人たちに直接メッセージやDMを送りアプローチし個別無料相談につなげます。

モニター獲得投稿テンプレートへの対応例

「○○さん、はじめまして。○○と申します。先日は新サービス開発に向けてのお悩み相談の投稿にいいね！（または、コメント）をいただき、ありがとうございました。今回○○さんのお悩みや困りごとをいろいろ聞かせてもらい、できる限りアドバイスしていきたいので、一度オンラインでお話を聞かせていただきたいと思っております！　もし、興味がありましたら、お返事いただけますでしょうか？」

いい返事があった場合

「○○さん、お返事ありがとうございます！　今回はオンラインのZOOMというアプリを使ってお話しさせてください。○○さんのお悩みや、お困りごとに関してもいろいろ聞かせていただき、できる限りアドバイスできればと思っています。

では早速ですが、日程のご相談をさせていただきたいです！　ご希望の日時はございますでしょうか？　下記の日程の中（自分が可能な日程を書く）で、○○さんが可能な日程を2つほどいただけると助かります。所要時間は約60分程度を予定しております。よろしくお願いいたします」

このあとは、ここから先の当日の具体的なやり取りやセールスの仕方についてお伝えします。

悪用厳禁！　お客さまを動かすための大切な知識

ここで1つ大切な考え方をご紹介します。それは、「プロスペクト理論」というものです。簡単に説明すると**「人間は損したくない生き物である」**ということ。期間限定セールや人数限定、期間限定販売などが一番わかりやすい例です。

人間は損したくない生き物なので、限定性に弱いのです。

たとえば、スターバックスでは期間限定商品が季節ごとに登場します。私たちは「せっかく期間限定だから」と言って、「今しか食べること飲むことができないかもしれない（損したくない）」とその商品やサービスを購入してしまう習性があります。

期間限定商品が年中販売されていれば、限定性をそそられることもないので売上はダウンします。

そのことを理解したうえで、先程の投稿を振り返ると、「人数限定」「先着〇名」というのがとても重要になっています。

「自分の悩みがもしかしたらモニター価格で解決できるかもしれない……」そして、人数に達したら、悩みを解決するチャンスを失う（損をする）かもしれないという感情が生まれやすくなり購入を後押しできます。限定性を意識して取り入れることが大切です。

また、人間は怠惰な生き物なので「行動を指示してあげること」がとても重要です。行動を指示することで動く確率がとても上がるのです。

これを、ＣＴＡ（コール・トゥ・アクション）と言います。

「ここをクリックし登録してください」というバナーを見たことがありませんか？

この手法を取り入れるだけで、見込み客の行動率が、数十％向上すると言われています。

「興味ありますでしょうか？　ある方は教えてください！」

「興味がある方は、いいね！かコメントで教えてください！」

この2つを比べてみると、どちらが行動しやすいでしょうか?

後者の文章ように行動を限定して指示することで、相手が積極的に行動できるようになっていくのです。

4-7

投稿→日程調整→当日のセールステンプレートを公開

個別相談でモニターを獲得するためのセールス手法と具体的なセールスのテンプレートスクリプトをお伝えしていきます。

アンケートセールス当日の全体像と用語の説明

セールステンプレートを確認する前に、セールスの順番と使用する専門用語の意味を知っておきましょう。事前に順序をイメージすることで、その先の理解度が変わります。

❶最初の挨拶&感謝

❷アイスブレイク&自己紹介（打ち解けるまでの雑談。共通点を探すと信頼関係を深めることができる）

❸今回のモニターは人数限定となることを伝える
❹ヒアリング↓悩み、現状確認、今まで取り組んできたことなど深く聞く（オウム返しをして、ここが悩みですねと認識させる）
❺目標設定と理想の未来を引き出す
❻その他の問題課題を認識させる（理想の未来を引き出す）
❼問題課題の整理と解決のステップを提示
❽最終的にモニターに興味があるかどうかを聞く
❾資料を使って説明解説（内容紹介、特典、保証）

では、ここから「アンケートセールストークテンプレート」をご紹介します。

アンケートセールストークテンプレート　ダイエットサポートの事例

（最初の挨拶&感謝）○○さん、はじめまして、○○です。この度はお忙しい中お時間をいただきましてありがとうございます！　よろしくお願いします。

（簡単な自己紹介などを行う）

（アイスブレイクとして次のような内容の雑談からはじめて3分くらい話を膨らませる）

「今日はどこからオンラインで繋いでくれていますか？」

「○○さんの出身はどちらなんですか？」

「私のことはどこで知っていただけたんですか？」

（今回のモニターは人数限定であることを伝える）「今回はモニターに興味を持ってくださりありがとうございます！　モニターは人数限定となるので、精一杯話をいろいろ聞かせていただいて、お力になれるかどうか判断させていただきます！　アドバイスの時間も含めて、お時間を60分ほど予定していますが大丈夫でしょうか？

まず、どうして今回○○モニターに興味を持ってくださったのですか？」

（相手のことや状況を詳しく聞いていく）

（そこから話を少し膨らませたり、共感したりしてみる）

「では、いろいろお聞かせいただきたいのですが、ダイエットについて困っていることや悩んでいることはどのようなところでしょうか？」

モニター獲得までの基本的な流れ①

Aさん、はじめまして、○○です。この度はお忙しい中、お時間をいただきましてありがとうございます！よろしくお願い致します。私は…(自己紹介)

最初の挨拶＋感謝＋アイスブレイク

はじめまして、Aです。
私は…。

今回はモニターに興味を持ってくださりありがとうございます！
モニターは人数限定となるので、本日、精一杯話を聞かせていただいて、お力になれるかどうか判断させていただきます！アドバイスの時間も含めて60分ほど予定していますが大丈夫でしょうか？
まず、どうして今回○○モニターに興味を持ってくださったのですか？

モニターは人数限定であると伝える／相手の話を少し膨らませたり、共感したりする

では、いろいろとお聞かせいただきたいのですが、ダイエットについて困っていることや悩んでいることはどんなところでしょうか？どれくらいの期間悩まれていますか？改善しようと思って取り組んだことはありますか？

ヒアリング①

悩みは、「他にはありますか？」「他にはいかがでしょうか？」と何度も深掘りする。お客さまは本気で改善しようと行動しているので、それを褒め、解決していない気持ちを理解できるよう努力をする

（他にはありますか、他にはいかがでしょうかと何度も深掘りして聞く）

「どれくらいの期間悩まれていますか？」

「それを改善しようと思って取り組んだことはありますか？」

（相手に興味を持ち、親身になり共感してあげることを意識する。その方は本気で改善しようと思って行動しているので、その行動をしっかり褒めたり、解決できていない辛い相手の気持ちをわかってあげる努力をすることで信頼関係を築いていきます）

「今までうまくいかなかった原因は何だと思いますか？」

「そうなんですね。わかります。難しいですよね」（共感する）

「では○○さんは○○というのが問題点や原因だと感じるのですね？（復唱する）

なるほど、ありがとうございます！」

（目標設定、理想の未来引き出し）

「では○○さんは、その問題が解決して痩せたらどうなりたいですか？」

「痩せたら何かやりたいことありますか？」

「目標の体重はありますか？　どれくらい痩せたらいいなという目標はありますか？」

そうなったら着たい洋服や行きたい場所などありますか？

モニター獲得までの基本的な流れ②

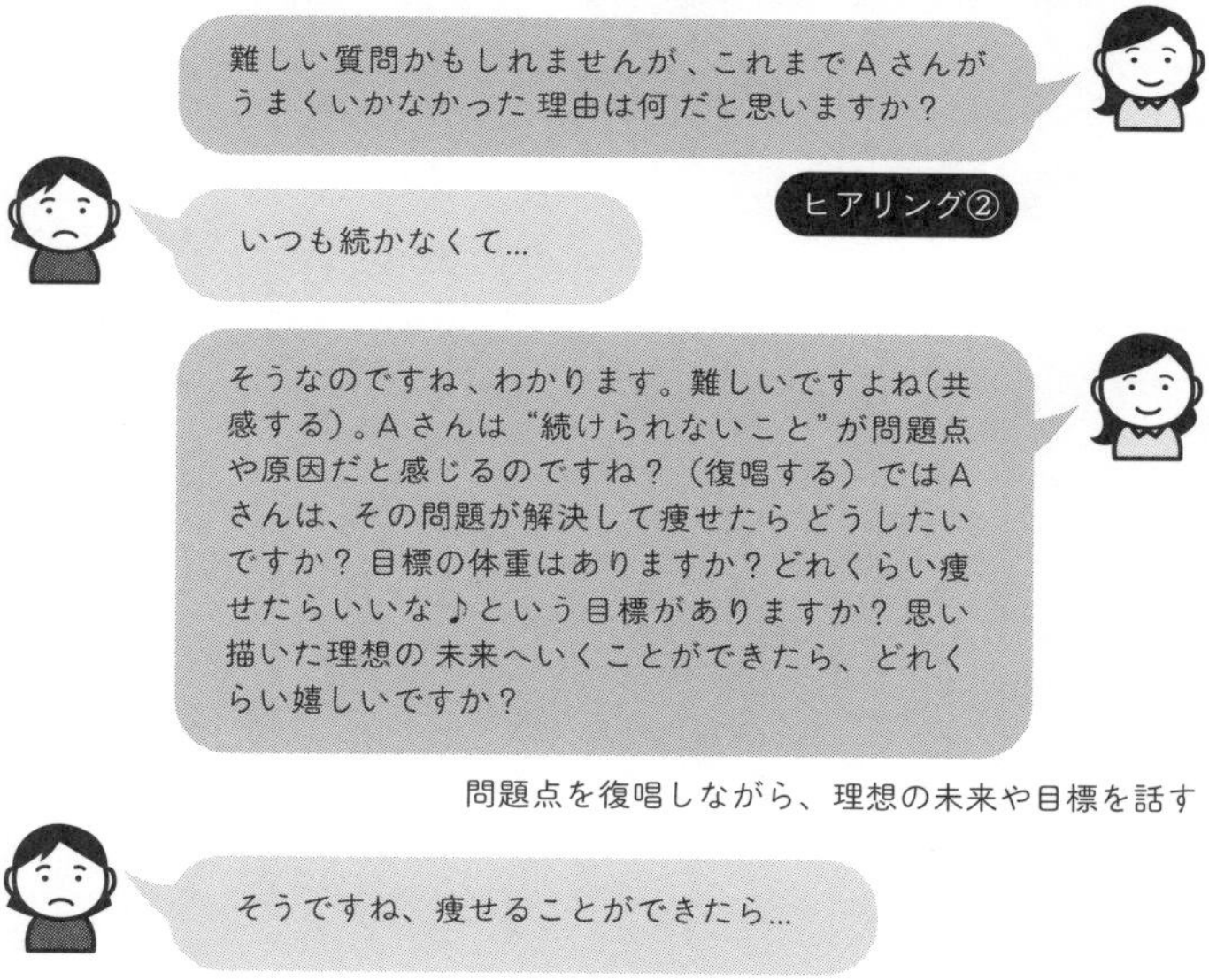

難しい質問かもしれませんが、これまでAさんがうまくいかなかった理由は何だと思いますか？
ヒアリング②
いつも続かなくて…
そうなのですね、わかります。難しいですよね(共感する)。Aさんは“続けられないこと”が問題点や原因だと感じるのですね？（復唱する）ではAさんは、その問題が解決して痩せたらどうしたいですか？目標の体重はありますか？どれくらい痩せたらいいな♪という目標がありますか？思い描いた理想の未来へいくことができたら、どれくらい嬉しいですか？
問題点を復唱しながら、理想の未来や目標を話す
そうですね、痩せることができたら…

「そんな思い描いた理想の未来に進んでいくことができたら、どれくらいうれしいですか？」

（痩せた未来を想像してもらって、それを達成したら、どのような理想の未来が待っているのかを自分で想像してもらうことが大切）

（ひと通り聞いたら、その未来に関してもっと褒めて共感してあげる）

「とてもいいですね！（達成したいですね！ そうなりたいですね！ など）

（他の問題を認識させる）

「いろいろお悩みを聞かせてくださりありがとうございます！

○○さんが抱えている問題や原因は、○○や○○と考えているのですね！

それももちろん問題点や原因の1つだと思うのですが、今まで改善しなかったり、良くなっていないのは、他にも原因や問題があるからだと私は思います。

実は痩せていくために○○や○○も一緒に身につけたり、取り組んでいかないといけません。ほとんどの方がそれに気づかず実践しているので、うまく痩せることがで

モニター獲得までの基本的な流れ③

いろいろと悩みを聞かせてくださりありがとうございます！

Ａさんが抱えている問題や原因は、〇〇や〇〇だと思っていますよね！それももちろん問題点や原因の１つだと思うのですが、話を伺っていると、今まで改善していない理由は他にもあると、私は思います！

実は痩せていくために〇〇や〇〇も一緒に身につけたり、取り組んでいかないといけないのです！ほとんどのかたがそれに気づかずに実践しているから、うまく痩せることができないんですよ。

自分なりの見解から、お客様が認識していない問題や原因、解説策を知ってもらう

Ａさんの現状はこんな（詳しく言語化）感じで、こんな理想の未来に行きたいということですよね！？そこで先程お伝えしたように、改善すべき問題点や原因は、〇〇や〇〇です！それを改善・解決していくためには、次の５つのステップが必要だと思います。１つ目は〇〇、２つ目は…、５つ目は〇〇、これを順番に改善していくと、好きなときに好きなものを食べても痩せられるＡさんになって、先ほどＡさんがおっしゃっていた、目標や理想の状態に近づいていくと思います。

それはＡさんが気づいていないことも含め、なかなか知ることはできないので、自分だけで取り組むのは難しいのが現状です。

問題課題の整理、解決のステップを提示

そして、今回たくさん話を伺って、Ａさんが痩せていくための力になることができそうです。ぜひ私に応援させていただきたいと思っています。最初にもお伝えした、今募集している、人数限定の「〇〇せずに〇〇になれる」特別モニターにご興味ありますでしょうか？もし、ご興味があるなら簡単にモニターの詳細をご案内させていただきます！

興味があるかどうかを聞く

きないんですよ」

（話を聞いたうえで、自分なりの見解をお伝えして、考えてなかった、新しい問題や解決策に気づいてもらう）


（問題課題の整理、解決のステップを提示）

「○○さんの現状はこんな（詳しく言語化）感じで、こんな理想の未来にいきたいということですよね!?

そこで先程お伝えしたように改善すべき問題点や原因は、○○や○○となっています。それを改善・解決していくためには、この5つのステップが必要だと思います。

1つ目は○○～5つ目は○○。

これを順番に、1つずつ改善していけると、好きなときに好きなものを食べても痩せられるあなたになって、先程○○さんがおっしゃっていた、目標や理想の状態に近づくと思います。

この方法は○○さんが気づいていないことも含め、なかなか教えてもらうことはできないので自分一人で取り組むのが難しいと思います」

モニター獲得までの基本的な流れ④

＜Yes の場合＞

興味あります！！

ありがとうございます！
では特別モニターの内容についてご説明しますね。

パワーポイントなどで作成した提案資料を見せながら、説明する

＜No の場合＞

興味ないです…

ありがとうございます！どんなところが興味を持てなかったですか？どんな商品だったら興味を持っていただけましたか？

必ず深掘りする。これによりさらに不安や本当の悩みが出てきて、会話が進む可能性がある

＜さらに深掘りしても興味がないような場合＞
本日はお忙しい中、貴重な時間をいただきありがとうございました！また何かあれば教えてくださいね！では失礼致します。

未成約であっても、見込み客の悩みや問題点を知ることができた

（興味があるかどうかを聞く）

「そして、今回いろいろお話を伺って、私は○○さんが痩せるためのお力になることができそうなので、ぜひ私に応援させてほしいと思っています。

最初にもお伝えしたように、今募集している人数限定の○○せずに○○になれる特別モニターにご興味ありますでしょうか？

もし、ご興味があるなら簡単にモニターの詳細をご案内させていただきます！」

NOの場合

「ありがとうございます。どのようなところが興味なかったですか？」というように必ず深掘りする。それによって再度いろいろな不安や本当の悩みが引き出され、会話が進んでいく可能性がある。

さらに話を膨らませて本当に興味がないようだったら、「本日はお忙しい中、貴重なお時間をいただきありがとうございました。また何かあれば教えてくださいね。では失礼いたします」と終わります。

見込み客の悩みや問題点を知ることができるため、未成約となっても何も気にする必要はないので安心してください。

YESの場合

提案資料を見せて読みながら説明しましょう。パワーポイントなどのシンプルな資料でOKです。

〈資料内容〉

1枚目：「タイトル」◯◯せずに◯◯になれる3名限定モニター特別プラン

2枚目：対象者（見込み客が抱えている悩みや問題を羅列する）

・三日坊主・リバウンドを繰り返している人──
・ダイエットにたくさんお金や時間を使ったのにうまくいかなかった人
・もう世の中の最新ダイエット情報に振り回されたくない人
・自分にあったダイエット方法が知りたい人など

3枚目：サポート内容

例：ダイエットの知識や必要な運動などを動画コンテンツでお渡しします。

・月○回のZOOMセッション

・LINEやメッセージアプリにて質問無制限

・毎日の食事の添削など

4枚目：正規料金のコース説明

・お試し1カ月コース→6万円（税込）

・3カ月コース→15万円（税込）

・6カ月コース→28万円（税込）

5枚目：特別モニター価格限定○名（今回のモニター価格）

・お試し1カ月コース→6万→4万円（税込）

・3カ月コース→15万→10万円（税込）

・6カ月コース↓28万↓17万円（税込）

6枚目：モニター限定特典と保証（今日、明日で決断してくださった方限定）

・各コースを1カ月追加特典（3カ月↓4カ月　6カ月↓7カ月）
・サポート終了後、何も変化を感じない場合は無料で3カ月サポート延長保証
・サポートを延長しても変化がない場合は全額返金します
※お伝えすることにきちんと取り組んでいる方に限る

ここまで簡単に説明したら、「もし、選ぶならどのコースが良さそうですか？」と質問してみて相手の様子を伺いましょう。

お客さまが興味を示している場合

その場で、支払い方法や期日などを相談（銀行振込やカード決済。期日は当日から5日間以内が多い）、分割希望の場合は何回まで対応可能か決めて提示する。

必要であればオンラインなどで契約書を交わすサービスがあるので活用する（無料から使用できるサービスがある、契約書のひな形など提供してくれる場合もある）。

成約したら、すぐにサポート開始の日程や、次のアポイントなどを決めておき、先に取り組んで考えておいてほしいことや、宿題を出しておきましょう（これがキャンセル防止策になる）。

お客さまが迷っている場合

「どのようなことで迷っていますか？」と質問してみましょう。

お金関係で悩んでいる場合は、「分割も対応するので安心していただいて大丈夫ですよ！」「月々いくらくらいなら参加できそうですか？」と切り返します。

旦那様や奥様に相談したいという場合も多いので、最初のうちにここをうまく切り返して伝えようとすると、売り込み感が出てしまいます。

慣れないうちは、**「わかりました。ぜひ相談してください。でもモニター価格はあと○名なので、明日の夜までに1度お返事いただけますか？」**と返事をもらう期日をしっかり決めることが大切です。

ただ単純に時間をかけて考えたいという場合は、お客さまの任意のタイミングにし、「どんなところで迷っていますか？」「どのようなところで考えていますか？」「何か不安などありますか？」と1度聞いてみましょう。

そこから話が進展していく可能性が多いです。

沈黙の場合は、そのまま少し考えさせてあげてください。

ここで相手を急かしてしまわないように、ドシッと構えておきます。

🌐セールスのコツと意識するポイント

モニター獲得のための具体的なセールスの方法や流れがなんとなくわかってきたと思います。さらに成約率を上げるために必要なこととして、セールス中に意識しておきたい大切なコツやポイントをお伝えしておきます。

- **相手への共感を意識する**
- **相手のいいところを見つけ褒める（お世辞でなく、できていることなどを伝える）**
- **相手が今までどのような購買行動や価値観があったのかを知る**
- **話す割合は自分2割、相手8割になるようにする（ヒアリングが一番最重要）**
- **どんな悩みや困りごとがあるか→どのような理想の未来にいきたいかを聞く**
- **なぜその理想の未来にいきたいのかを深掘りする**
- **「本当ですか？」「その先は？」「なぜですか？」「解決できたとしたらどう**

したい？」とどんどん深掘りする意識を持つ

●見込み客の不安、断り文句を先に伝える

もし、（お金の問題で）断わられそうな雰囲気を感じたら、先に、「皆さん分割で申し込んでいるので、月々安く参加できますから安心してくださいね」と伝えましょう。

取り組んでいるうちに、断りのパターンがわかれば、先にそれを潰しておくことで、「先程もお伝えしましたが」と説明できます。

断り文句を言われてから全部覆そうとすると、「売り込まれている、説得されている」と感じてしまうので、しっかりと対策をしましょう。

4-8

これをやるだけでセールス力が100倍上がる！

そんな魔法のような方法があるなら早く教えてくれと思われるかもしれませんが、その方法は、ごく当たり前のことですが、実践できない人も多くいます。

ただ、これをすれば100倍セールス力が向上することは、お約束できます。

その魔法のような方法とは、次の3つを実践することです。

❶セールスの振り返りをする
❷未成約の人に、申し込まなかった理由を聞く
❸成約の人に、申し込んでくれた理由を聞く

ではこの3つについて、それぞれ詳しく見ていきましょう。

🌐1 セールスの振り返りをする

今日のお客様はなぜ成約に至ったのか、未成約だったのかを自分で理解できるようにすることがセールス力向上に必要なことです。

そしてセールスの内容を改善していくこと。

ほとんどの人はセールスの振り返り方がわかっていません。ですから先にもご紹介した「〝欲しい〟を引き出す7つのポイント（154ページ参照）」に沿って振り返りをしましょう。

❶ あなたの商品・サービスに根拠のない自信を持つ
❷ お客さまとの信頼関係を築く
❸ 予算やお金に対する価値観を知る
❹ いつまでに悩みを解決したいかを確認する
❺ 他社回遊・他社比較・別手法の検討度合いを知る
❻ 目標設定をして興味関心の度合いを知る

❼ステップ化で全体像を伝える

この❶〜❼それぞれを、改めて自分のなかで5段階評価でチェックしながら実行します。

各項目のどのポイントが相手に響いていたのか、足りなかったのか、またはうまくいったのか、それを自身自分で振り返ることができれば、セールスの成長スピードは100倍にもなります。

2 未成約の人に、申し込まなかった理由を聞く

これを聞くのは心が折れるかもしれません。

しかし、しっかりとお客さま本人に理由を聞くことで、**自分の気づいていないポイントや足りないことを発見できる可能性が高い**です。

また、未成約の人にしっかりと聞くことで、ミスマッチがわかるからこそ、本当に相手が求めている商品・サービスを再度提供するヒントがあるかもしれません。

たとえば、「今後の参考のために教えていただきたいのですが、今回申し込まない理由はどのようなところにありますか？　これからに活かしていきたいので率直に教えていただきたいです！」と素直に聞きます。

もし、直接聞くのがきまずい場合は、終わってからメールなどで質問しましょう。

3 成約の人に、申し込んでくれた理由を聞く

成約した人にも聞くことにより、どの部分が良かったのか、どの部分がよくなかったのかがわかります。

思いもよらないところを魅力に感じてもらっていたりすることもあるので、新しい発見があるはずです。

4-9

セールスして断られても落ち込まない唯一の方法

これからセールスをたくさんしていくと、感謝して喜んでいただける人も増えますが、逆にたくさん断られることもあります。

想像してみてください。10人に提案して全員に断られてしまった……。

そうなったときにあなたはすごく落ち込むと思います。本当にセールスが嫌いになると思います。私も同じでした……。

その理由は、「あなた自身が否定されていると思うから」「あなたの商品・サービスに価値がないように感じるから」です。

しかし、これは錯覚です。この代わりにこう思うのです。「未成約は自分の力不足のせい」。

「自分のセールス能力が低かったばかりに、相手の話をしっかり聞けず、また、自分の商品・サービスの価値を伝えきることができずに、相手が幸せになるチャンスを潰してしまった。ごめんなさい」と捉えます。

相手が断った理由は、あなたのことが嫌いだからではありません。

今はタイミングではなかった、あなたの商品・サービスの価値が伝わらず必要ないと判断された（本当に必要ない場合もある）、思ったよりも高額だった（そこまで価値を感じなかった）、こんなところだと思います。

お客さまはあなた自身を批判したり、否定しているわけではないのです。

逆に相手に対して**「お力になることができたのに、そのことを伝えきれずごめんなさい」**と、**自分の中で反省して改善していきましょう。**

どれだけ断られても落ち込む必要はありません。ただ振り返りと改善を行うだけです。落ち込んでもいいですが、それによる進展はないので、しっかり振り返りをして次に活かしましょう。

あなたのセールス能力が高くなればなるほど、たくさんの人を幸せにすることができます。

そのマインドセットをしっかり頭に入れておきましょう。

4-10 スキルシェアサービスで自分の商品・サービスを販売してみる！

スキルシェアサービスとは何かと言うと、自分の得意なことや趣味などを活かし、スキルを売り買いすることができるクラウドソーシングサービスです。

クラウドソーシングサービスとは、仕事をしてほしい人（依頼者・クライアント）と、仕事をしたい人（受注者・ワーカー・メンバー）を、効率よく繋いでくれるサービスのことです。

スキルシェアサービスでは、あなたの「好き、経験」などの商品・サービスをお試し感覚で提供できるのですごくおすすめです。

「お悩み解決パッケージ」をうまく作れないとき、「フルパッケージ販売は自信がないが、一部分だけなら売れそうだ」と思ったときには、これらのスキルシェアサービスでテスト販売をしてみましょう。

まずは副業としてはじめていこうと思っている人には、特におすすめです。

ここでは、特に簡単にはじめられるおすすめのスキルシェアサービスを、3つご紹介させていただきます。

「ストアカ」、「タイムチケット」、「ココナラ」の3つです。

❶ストアカ

ストアカは170種類ほどのジャンルがあり、利用者も50万人を超えている大きなスキルシェアサービスの1つです。

47都道府県に講師がいるとともに、リアルとオンラインの両方で講座受講も講師を務めることもできます。自分の講座を開く場合、たった5分で準備ができ、募集することが可能です。講座の参加費も低額で1000円程度から参加することができる大人気サービスです。

ストアカの大きな特徴は、1対1〜対複数に向けて決まった日時に「講座（セミナー）」を開催することがメインのサービス内容であること。自分の好きや経験を活かしてたくさんの人へ学びや気づきを提供することを得意としています。

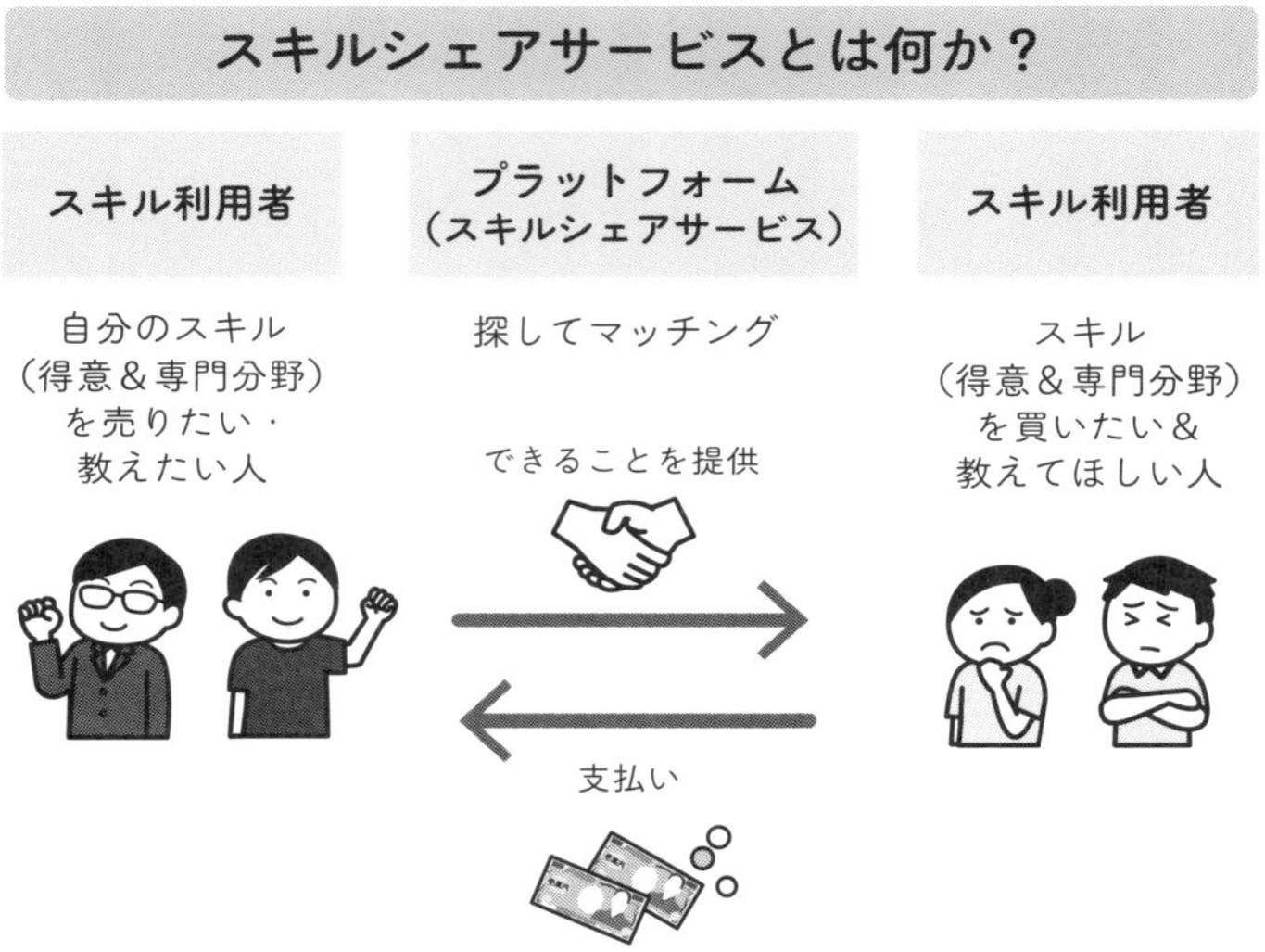

❷タイムチケット

タイムチケットも利用者数40万人を超える大きなスキルシェアサービスの1つ。

大きな特徴としては「自分の時間を売る」というのがコンセプトなので購入者と相談して日時を決め、時間単位での1対1での販売をメインとしています。

また、高額な商品やサービスを提供している人も数多くいるので、上級者になればオンライン商品など、単価を上げて販売することも可能です。

❸ココナラ

ココナラの大きな特徴は「スキルを売り買いするところ」を重点的に売りにしているサービスであること。依頼者から受注したものを制作・納品をするサービスが多いのが特徴です。

これら3つのサイトを、まずは自分で調べてみて、どのような講座、商品・サービスがあるのかを知り、自分が利用者として興味あるサービスを受けてみることからはじめましょう。

STEP 5

長期的に安定したビジネスを作るためのアドバンスステップ

長期的なビジネスに必要なリストという概念とは？

STEP 5

長期的に安定したビジネスを作るためのアドバンスステップ

長期的なビジネスに必要なリストという概念とは？

このステップは、すでにビジネスを取り組んでおり、さらに売上を伸ばしたい人、またはベーシックのステップに取り組んで、少し売上を上げられた人が、長期的に安定したビジネスを作るための方法を解説します。

あとは少しずつあなたのビジネスを構築しながらブラッシュアップしていくだけです。ここからさらに楽しくなっていきますので、どんどん進めていきましょう！

5-1

長期的に安定したビジネス作り&爆発的な売上アップに必要なもの

長期的に安定したビジネスを作るうえで大切なことは、**「リストという概念を知ること」**です。

「リスト」を理解することが、あなたの売上が右肩あがりに伸びるかどうかを左右します。ベーシックのステップがしっかり身についたら、「リスト」も意識して取り組んでいきましょう。

まず、リストの説明に入る前に、クイズを解いていただきましょう!

問題です。江戸の商人が、火事のときに何より一番に持ち出した物は何でしょうか?

正解は……、顧客台帳(お客さまの連絡先や住所が載ったもの)です。

江戸商人は火事が起きたとき、真っ先に顧客台帳を井戸に投げ込んだ(もしくは持ち出した)と言われています。

顧客台帳は、こんにゃくノリで加工されており、水に浸っても文字が消えなかったそうです。なぜ江戸商人は、お金を持ち出すでも、火を消すでもなく、顧客台帳を井戸に投げ入れたのでしょうか？

それは、ビジネスで一番重要なものだからです。

つまり**リストとは、顧客、もしくは見込み客の個人情報**のことです。

以前は、電話番号や住所のことを指すのが一般的でしたが、現代ではネットビジネスが主流になってきたため、メールアドレスやＬＩＮＥなどを指すことが多くなりました。本書ではＬＩＮＥ公式のリストの取り方についてお伝えしていきますので、**「リスト＝ＬＩＮＥの友だち」**と規定します。

ビジネスで大切なのは、**顧客にこちらから何度も自由にアプローチできる環境を整えること**です。そうすることで、新しい商品・サービスの案内やアフターフォロー、サポートなどが可能になります。

一度顧客になった人に再度サービスを提供する方が、新規の人に販売するよりも、すでに信頼関係が築かれている分、はるかに簡単です。

ビジネスで重要なことがもう1つあります。それは、**顧客や見込み客にあなたの情報を浴び続けてもらうこと**です。

あなたの発信は、常にみんなにチェックされているわけではありません。SNSだけで何かの企画を立てて募集をしても、集まる人はその時々によって変わります。そんな危うい起業方法は取りたくないですよね？

だからこそ、先にリストを集めておいて、そこで常に情報や募集を流すことで、あなたをもっと知ってもらい、もっと信頼関係を構築し、最終的にLINE公式に登録した読者の方があなたのサービスに興味を持って申し込んでくれるかもしれない。

しかし、リストになっていない場合、いつかあなたのことを忘れあなたの情報に触れる機会すらなくなる可能性が高いのです。

そこでLINE公式を使って、SNSでは言えないような特別なノウハウや気づき、パーソナルな情報を出していきます。

「あなたは何を考えているのか？」

「あなたはどのようなサービスを提供しているのか？」
「あなたの経歴や成果はどのようなことがあるのか？」
「あなたのお客さまの成果はどれくらい出ているのか？」

これらをリアルタイムでリスト（友だち）に向けて配信することで、見込み客がお客さまになる可能性を高めるしくみがあることが大切です。

だからこそ、ちゃんとリストに入ってもらい、そこで情報を浴び続けてもらうことが、長期的に売上を上げるために最重要なのです。

5-2

リストを集める3つの手順

では次に、どうやってリストを集めていけばいいかをお伝えします。

以前のSNS運用のステップでもお伝えしたように、見込み客は投稿を見ていい内容だと思ったら、次は他の投稿などを読んでくれ、次にプロフィールを見て信頼・信用してフォローしてくれる。

なおかつ欲しいと思ったら、無料のプレゼントを受け取ってくれます。

その「無料プレゼント」を受け取るために登録してくれたリストを保管する場所として「LINE公式」に登録し、そこに友だち追加することによって特別なプレゼントがもらえるという導線を作ります。

これは、マーケティングの**「フリー戦略」**という手法を使ったものです。

簡単に言うと無料でプレゼントを渡して人を集め、最終的には本来販売したい単価の高い商品を販売することで収益の最大化につなげる手法のことです。

「リスト」集めのメリット

長期的に安定したビジネスを作るためには「リスト」集めが最重要！

リスト＝あなたがいつでも自由にメッセージを送れるお客様候補
（LINE 公式の お 友だち、メールアドレス、住所、電話番号など）

お客様候補にあなたの情報をシャワーのように浴びてもらうと…

・あなたをより知ってもらえる
・あなたの商品サービスに興味を持ってもらえる
・「私も変われるかも」と思ってもらえる
・募集や告知をいつでも伝えられるようになる

↓

リストが増えれば、集客数や成約率が向上するため売上げアップに繋がりビジネスが安定しやすい

たとえば、スーパーの試食はフリー戦略です。

試食をすることで「美味しい」「いいな」と感じ、さらにただでもらったのだから（お礼に）買おうという気持ちが湧いてきます。

ほかにも、化粧品のサンプル、起業の無料ＬＩＮＥスタンププレゼントなども同様です。

企業もフリー戦略を用いてあなたに認知させ、最終的に売上に繋がるように戦略を立てています。

そこで、あなたもプレゼントを作成して、よりたくさんの見込み客にアプローチできるようにしましょう。

無料プレゼントを作り、LINE友だち（リスト）を集める流れはこちらです。

❶見込み客が欲しがるプレゼントとタイトル考察（リサーチ&モデリング）
❷プレゼントを受け取る方法を作る（LINE公式）
❸告知リリースする（一人キャンペーン）

では、この流れを順に解説しましょう。

1 見込み客が欲しがるプレゼントとタイトル考察（リサーチ&モデリング）

まず最初にプレゼントとは2種類あることをお伝えします。

1つ目が「配布型プレゼント」です。

すでに作成したPDFや動画やマニュアル、レポートのように一度作ってしまえば何度でも使い回せるもの。基本的にはこの配布型の作成をおすすめしています。

2つめは、「労働型プレゼント」です。

これは、無料セッションや無料鑑定、○○診断など、あなたの何かしらの労働をプレゼントするものです。

できればプレゼントは、常時置いておけるものにしたいので、おすすめは配布型ですが、定期的なキャンペーンを行うときに、時折スペシャルなプレゼントとして活用するのはアリだと思います。

ここから紹介するプレゼントについては、すべて配布型を想定して解説します。

プレゼントは、すでに行ったリサーチのなかでたくさんサンプルがあると思います。これを、自分流にアレンジして作ってみましょう（最低でも2つ以上あるGood）。

よくあるのは、ＰＤＦ（ワードやパワーポイント）の配布で、内容は、チェックシートやマニュアル。そのほかに動画や音声、または、普段は教えていない特別なノウハウやテクニックなどあります。

🌐プレゼント作成方法

第一にLINE公式に登録するユーザーのメリットを徹底的に考えること。見込み客にとって価値のあるプレゼントになっているのかを徹底的に考えることです。

- **ライバルリサーチでだいたいのテーマやタイトル案を考える（お客さまに直接聞いてみても要望がわかる）**
- **あなたの見込み客が困っていることを解決する内容にする**
- **どのような形で配布するのかを考える（PDFや動画など）**
- **見込み客の悩みを具体的に解決してくれそうなタイトルか判断する**

そうやって要望の多い悩みを解決するコンテンツやサービスを作れば、売ることも可能になったり、それを無料プレゼントにすればLINE公式に登録してくれる確率は格段に上がります。

2 プレゼントを受け取る方法を作る（LINE公式）

LINE公式とは、企業やビジネスを行っている人が登録できて（無料）使用できるしくみ（有料アリ）になっています。しくみは簡単です。あなたが使用しているLINEとまったく同じ要領で登録することができます。

各企業はクーポンやプレゼントなどのフリー戦略を行うことで、QRコードの読み込みやリンクをタップしてもらい（画像をタッチで）、IDを入力して登録してもらいます。そして、登録した相手が友だち追加した瞬間に配信されるメッセージを登録し、クーポンやプレゼントを配布しています。

そうやって登録されたLINEのすべての友だちに対して、企業は一方的にPR発信をすることが可能です。

これを、あなたも同様に行うことができます。

簡単なプレゼントを作成する→定期的にLINEを配信する→定期的に商品サービスの告知をしていく→秘密のテンプレートを配信する（のちほど解説）→FE商品にきてもらい、自分のBEを販売するという流れです。

なぜLINE公式なのか？

今、LINE公式はメールマガジンに比べて、**開封率が高い**（通知を認識してもらいやすい）です。LINEは1日に何度も開く機会があり、通知が表示されるので目に止まりやすくなります。

だからこそ、LINE公式の友だちが少なくても、起業初期の人が売上を上げやすくなります。

ではここで問題です。LINE公式の友だち一人あたりの売上に繋がる金額はいくらでしょうか？

答えは、5000円以上です。

つまり、**100人の友だちを集めれば、最終的に50万円以上の売上には繋げることが可能**となります。

本書では、売上に繋がるノウハウを重点的にお伝えするため、LINE公式の登録方法などは割愛します。

LINE公式アカウントでリストを集める

LINE公式アカウントで友だち追加をしてもらうための「土台」の条件

・プロフィールが整っている
・10投稿以上の価値ある投稿をしている
・特典を作成している
・リスト（友だち）増加の戦略を立てている

「一人キャンペーン」で一気にリスト（LINE公式の友だち）を集める

・限定性の演出効果（期間限定の特典プレゼント）で登録増加！
・特典はLINE公式アカウントに登録して受け取ってもらう
・テンプレートに沿ったSNS投稿で登録者数を最大化！

ＬＩＮＥ公式のマニュアルを参照して初期設定をしましょう。

超アドバンス編になるとＬＰ（ランディングページ）というウェブサイトを作成してプレゼント受け取りページを作る人も多いですが、月商50万を超えるまでは、なくても問題ありません。

もし作成したい場合は、簡単に作れるシステムサイトがあるのでぜひ調べてみてください（ペライチなど）。

また、収益が立ってきたら、ココナラなどサイトを経由して外注サービスを活用し作ってもらうことも可能です。

3 告知リリースする（一人キャンペーン）

ＳＮＳでは何かを伝えたいときには、必ず何度もしっかりと発信・告知することが重要です。

「人はあなたに興味はない。基本的に自分のことにしか興味がない」とお伝えしたように、あなたの発信を毎回毎回見ている人は実は多くないのです。

だからこそ、**たくさん告知・発信して、やっと1回目に留まるレベル**です。

私たちは一度発信したら「読んでくれるだろう」「わかってくれるだろうと」と思ってしまいますが、大間違いです。

多く見積もって、５回告知してやっと1回見てもらえるくらいだと思いましょう。

そんな感覚で取り組んでいくときちんと伝えたい情報をたくさんの人に届けられるようになります。

5-3

「一人キャンペーン」でリストを集めよう！

一人キャンペーンとは期間限定プレゼントを配布して、定期的にリストを集める手法です。一度限りでなく、何度も使える方法なのでしっかりマスターしましょう。

ポイントは、次のようになります。

- **期間限定や人数限定などの限定性を演出すること**
- **受け取りや申し込みにはＬＩＮＥ公式へ登録してもらうこと**
- **信頼関係を作るため、無料であっても見返りを求めずに徹底的に与えること**

人は何かの行動をするとき、行動するほうも行動させるほうも、何か理由があるとすごくやりやすくなります。そのため、限定性や期間を演出することが重要です。

たとえば、バーゲン・セールはすごくわかりやすい例です。

あなたが、アパレルショップの店員さんだとしましょう。今セール期間中で、来店されたお客さまがすごく気に入っている洋服を購入するか迷っていました。

あなたはどうしますか？

「今だけセール期間中で、価格は30％ＯＦＦになるのでおすすめです。また、人気商品のため、セール期間中に在庫切れになる可能性が高いですよ！」

と伝えれば、購入の確率は格段にあがります。

また購入者側も、今はセール中だし気に入っているし、と自分で自分に購入する理由付けができます。

キャンペーンやイベントは、売上が最大化する効果的な手法です。これを使わない手はありません。だからこそ、今回特別なプレゼントができたら、プレゼントキャンペーンを行いましょう。キャンペーンの名目の例をご紹介します。

- **友だち〇〇〇人突破キャンペーン**
- **アカウント開設〇年記念キャンペーン**

- **お正月！お年玉（クリスマス、バレンタインなど）キャンペーン**
- **誕生日キャンペーン**
- **会社設立○周年キャンペーン**

しかし、毎週、毎月キャンペーンを行っていると、見込み客もあきてしまうので、できれば2カ月に一度くらいが適切です。

一人キャンペーンの流れ

「一人キャンペーンは、SNSで行うので次の流れで実施するのがおすすめです。

1日目〜2日目：興味付けの投稿をする

「今みんなが喜ぶような、すごいもの作っているので楽しみにしておいてください！」

3日目：キャンペーンを行う理由、配布時期、キャンペーン名などを伝える

そのプレゼントを受け取ったらどうなれるのか、見込み客の理想の未来＋限定性を

演出する

4日目：再度キャンペーン日時を告知し問題提議＋原因明示＋解決策＝プレゼント

「こんなこと悩んでいませんか？　原因こうです。解決策はこれです」

5日目：翌日から開始されること、プレゼント名、プレゼントの効果、理想の未来、限定性の演出、受け取り方法を告知（3、4日目の内容に近い）

6日目（キャンペーン開始1日目）：キャンペーン開始の告知、実施理由、キャンペーン名、受け取り方法、LINE公式URL、限定性の演出

7日目（キャンペーン開始2日目）：盛り上がりの演出、キャンペーン名、お客さまからの反応への感謝や喜びの気持ち、受け取り方法、LINE公式URL、限定性の演出、翌日で終了であると通知

「いよいよ明日でキャンペーン終了」「すでに何名も登録いただいています！」といった表現で使うことで、登録がまだ少ない場合でもたくさん申し込みが入ります。

8日目（キャンペーン開始3日目）：キャンペーンが本日で終了であること、理想の未来、受け取り方法、LINE公式URL

「こんな人がこんな理想の未来になれる、もう今日で配布終了です」

この「一人キャンペーン」を行う場合、まずは今までお伝えしたことを取り組んで、ある程度あなた自身のSNSが育ち、受け皿が整ってから行いましょう。

「一人キャンペーン」の前には、

- **価値のある投稿をある程度貯める**
- **フォロワーを集める戦略を取る**
- **魅力的なプロフィールにしておく**
- **簡単なフロントエンド商品の企画を考えておく**

ことが重要です。

5-4

売上を上げるためのＬＩＮＥ公式の使い方

次にお伝えしたいことは、売上を上げるために使用するＬＩＮＥ公式の機能です。初期設定では、ＬＩＮＥ公式のマニュアルを見ながら**アイコンや名前の設定**を行いましょう。

最初に使う機能は、**「あいさつメッセージ」**です。

「あいさつメッセージ」とは、お客さまが登録した直後に配信される定形メッセージのこと。基本的にはここでプレゼントを配布します。

プレゼントにはいくつか種類がありますが、ここでは配布型のプレゼントの場合を紹介します。動画を配布する場合はYouTubeやVimeoなどの動画アップロードシステムでアカウントを作成し、「限定公開」という方法で動画をアップ。

そのＵＲＬをあいさつメッセージに入れると、自動配布が可能になります。

また、ＰＤＦでマニュアルやチェックシートを作成した場合、Googleドライブ（無料）にアップロードすれば、共有が可能になります。

これによって、共有ＵＲＬというものが取得出来るのでそれをあいさつメッセージに貼り付けておけば、資料などのプレゼントもＵＲＬで自動的に配布することが可能です（本書巻末の無料特典で動画を公開していくのでそこで詳しく解説します）。

メッセージ配信機能

この機能は登録してくれた友だちに対して**一斉にメッセージを送信することができる機能**です（何をどうやって送るかについては、また後の項目で解説）。

フリープランは月間１０００通まで配信可能です（イメージとして、１００名に月10回の送信、50名に月20回の配信が可能です）。

配信に関しては日時指定の予約配信することも可能です。

チャット機能

チャットとは、今あなたが友人や家族としているような**1対1で直接メッセージのやりとりができる機能**です（グループLINEは作成不可）。

一斉配信は登録してくださっている全員に配信可能ですが、1対1のチャットができるのは、友だちになってくれてた相手がメッセージかスタンプを送った時点から可能となります。

そのため、何かしらメッセージやスタンプが送られない限り誰が登録しているのかわかりません。

LINE公式アカウントの発信内容とは？

LINE公式であまりやってはいけないことは、「自分の商品・サービスのPRや告知、募集ばかりすること」です。

あなたからLINEが届いてもPRばかりだと、誰もあなたの情報を読んでくれなくなり、最終的にあなたをブロックしてしまいます。

人間は他人には興味がなく、自分にしか興味のない生き物。

だからこそ、ＬＩＮＥで配信する内容も、見込み客が「自分にとって有益である」と自分ごとに思ってもらうことが大切です。

自分ごとにさせる配信にするための内容は、５種類に分けられます。

配信全体の50％：お役立ち情報、〜書きました（お知らせ）など！

基本的にはお役立ち情報をYouTubeなどの動画を撮って定期的に送ってあげることができればすごく信頼関係を築くことが可能です。しかし、動画は制作にも技術や手間がかかるので、ブログを書いている場合は「今日はこんなお悩みに答えたブログを書きました！↓（ＵＲＬの紹介）」のようにブログＵＲＬを紹介してもいいでしょう。

そして、ＬＩＮＥはお客様の声を気軽に教えてもらえるのも特徴です。お役立ち情報のほかにも、ＳＮＳで発信した内容を抜粋して、「これってどう思いますか？」と投げかけたり、コミュニケーションを取る目的でも活用していこう。

配信全体の20％：お客さまの声や自分の実績、変化、ビフォーアフター

お客さまに頂いたお声やモニター様の進捗やよろこんでいることをＬＩＮＥで配信していくことで、見込み客に「私も変わりたい」「○○さんはこんなサポートしている人なんだ」と知ってもらえることが何よりも重要です。

また、起業を始めたばかりの時は、お客さまやモニター様のお声がないこともあるでしょう。その場合は自分の経験や実績、もしくは、「自分がサポートしたら、こうなれるよ！」というお客様への約束などを発信してゆきましょう。

配信全体の20％：プライベートのあなたや仕事への想いを知ってもらう

サービスを販売する時に「誰から買うのか」は、あなたのスキルと同じくらいお客様にとっては重要です。ですから、あなたが「どんな想いでその仕事をしているのか？」「お客さまにはどんな人生を送ってほしいのか？」を発信して、あなたの熱い想いを知ってもらい、共感してもらいましょう。あなたの人柄を知ってもらうことで、あなたから教えてほしい、サポートしてほしいと思ってもらえます。

また、時にはプライベートの内容や家族の話など、ＬＩＮＥでしか知ることのでき

ないビジネス以外の一面を公開することで、あなたのファンになってくれます。

配信全体の4・10%：自分の商品・サービスのPR告知、募集

LINEで売り込みをしていいのは、全体の10%です。驚きませんか？ **残りの90%で、あなたへの信用をいかに作るかが成約率アップの鍵**なのです。

売り込み以外の90%の発信で信頼を作りつつ、あなたが行う商品・サービスの説明や解説概要、体験セッション、無料相談、クーポンなどのFEの募集・告知をします。

あなたは「定期的に商品・サービスを販売している人なんだよ！」ということを認識しておいてもらわないと、「あなたから受けたい」とはなりません。あなたは便利屋さん、いい人で終わってしまいます。

あなたに「お客さまを募集中で、あなたをサポートしたいんです！」という気持ちがあることを、定期的にしっかりと伝えておきましょう。

LINEのメッセージ配信には、画像や動画も一緒に配信することが可能です。

文字だけでなく、視覚情報に訴えかけることでイメージしてもらいやすくなります。

動画は、編集やトークスキルが必要になるので、極力、文章&画像or写真を発信し

ましょう。

写真は定期的にあなたの顔が映っているものを入れておくと、お客さまは勝手にあなたに親近感が湧き、信頼関係を築け、売上に繋がる可能性が上がります。

発信するうえで知らなきゃいけない3つのNOT

読者にはあなたの発信を読んでもらいたいですよね！

しかし情報発信には3つの壁があります。その壁とは、

読者はあなたの文章を、

読まない（Not Read）

信じない（Not Believe）

行動しない（Not Act）

ということ。これらの壁を突破することが、情報発信の先にあるビジネスをうまく

進めるうえで、とても大切になるのです。
一緒に壁の超え方を確認していきましょう。

🌐読まない（Not Read）を突破する

そもそも情報が溢れているので、まずほとんどの情報を読者はスルーしています。これが読まないの壁です。あなたから通知が来たときに、まずそのメッセージを開封するかどうかという段階の話です。

LINE公式での発信なら最初の2行が特に大切。通知が来たときに開封しなくても最初の2行がそのまま見えているからです。ここでしっかり見込み客の目を引くことが大切です。

また、メールマガジンやブログ、SNSの場合はタイトルや冒頭の書き出しにこだわることが大切です。タイトルを見て、開封するのか？　スルーするか？　という判断を私たちは無意識で行っています。

読まないの壁を越えるポイントは4つあります。

- **興味のあることで惹きつける（お客さまが興味を持つ内容）**
- **プライベート感を持って友だち感覚で惹きつける（ちょっといいですか、今起きてますか。最近何してますか）**
- **質問をして惹きつける（これって興味ありますか？、ちょっと質問いいですか）**
- **突然投げかけて惹きつける（教えてほしいんですけど、これ知っていましたか、今何をしていますか）**

信じない（Not Believe）を突破する

読まないの壁を突破して、開封してもらったとしても、読者は基本的にあなたのことを信じていません。メッセージを開封したり、読み進めたりしても、基本的には疑いの目を持ち、疑心暗鬼で読んでいます。あなたもそうですよね？

だからこそ大切なのは、「エビデンス＝信じるに足る証拠」を提示することです。

信じないの壁を突破するポイント、証拠の提示には、次のようなものがあります。

- **お客さま（モニター）からの感想や写真、動画をそのまま掲載する**
- **ネットにある公式データや研究結果などでも信頼に足るものなら大丈夫**
- **あなた自身の人生のストーリーや生い立ち、あなたの写真を掲載したり、公開したりすることによって信頼関係を築き、共感が得られる**

もっとも早く信用を獲得する方法は、動画を見てもらうこと。

現在の人間の購買行動は、ただ物を買うのではなく「ストーリー」を買っています。機能的にいい商品かどうかよりも「感情が動き、共感する方を買う」という傾向が高いので、あなたのストーリーなどを積極的に自己開示しましょう。

行動しない（Not Act）を突破する

読んでもらって、信じてもらいました。万歳！

しかし、最後の行動をしない壁があります。私たちも「わかっちゃいるけど」と思って行動しないことが、たくさんありますよね。

基本的に見込み客は、何を言っても行動しない生き物だと思っておきましょう。ハードルを下げ、ステップを小さくして伝えることで、行動しやすいように伝えることがとても大切なのです。


行動しないの壁を越えるポイントを４つ紹介します。

❶行動しないと人生は変わらないと伝える

行動した人から人生を変えている事実を、日々淡々と伝えていきます。

❷行動した人と行動しない人の人生の変化を伝える（天国と地獄）

先に行動した人が、どのような人生の変化を起こしているのかをリアルに伝えます。

また、行動しなかった人がどうなっているのか、ちょっと残念な未来を紹介するのです。行動した人と行動しなかった人の半年後の人生を、対比するというのもいいかもしれません。

❸みんな行動していると伝える

バンドワゴン効果と言って、人はみんなやっていることをやってしまう習性があります。たとえば、行列があればつい自分も並んでしまうように、他人がやっていることを無意識に正当させます。

これを応用して、あなたの投稿の読者は行動している人ばかりだと伝えれば、行動するようにうながすことができます。

❹どのような行動をすればいいのか明確にする

先にも少し紹介しましたが、行動を指定してあげる「CTA」の手法を使います。

「登録する」「参加する」「クリックする」など、どういった行動を取ればいいかを指示するだけで行動率がかなり向上していきます。

5-5

LINE配信テンプレを使って爆発的にFEへ集客する

ビジネスをうまく進めていくには集客が欠かせない要素の1つです。そこで誰でも当てはめるだけで集客ができるようになる、LINE配信のテンプレートを解説します。これは、私が1億円以上の売上を作ることが出来た方法です。

LINE配信テンプレートを使って、FEの商品・サービスを募集するなら徹底的に事前予告戦略を行うことが大切です。

「事前予告戦略」とは募集前に行う告知のことで、映画の予告のようなものです。映画の予告は、大体1年くらい前からはじまり、半年前に大きくなってきて、2、3カ月前に大々的に宣伝し、1カ月前から出演者などがメディアに露出してPRし、当日を迎えます。

事前予告の効果には、次のようなものがあります。

- **楽しみにしてもらう**
- **事前に予習や関連商品の購入が発生する**
- **認知度がアップする**
- **売上の最大化に繋がる**

このように、何かを広く告知・PRする場合、長い期間をかけて何度も伝える必要があります。ですが、SNSでの起業の場合、もっとも広く認知してもらいたい募集そのものを、いきなり行ってしまう人が多いのです。

これは、何の宣伝もなく映画を公開するのと同じです。

そのため、お客さまは募集を見逃したり、自分が参加するべきかがわからなかったりして申し込まないという結果におちいってしまいます。

FEや何かしらの企画、イベントを募集する前には、参加したくなるような問題提起や課題の投げかけ、気づきをしっかりと与えておくことが必要です。

つまり事前予告で大切なことは、「興味を持ってもらうこと」「気づきを与えること」「事前に必要な知識や情報を知ってもらうこと」なのです。

たとえば、3月くらいにダイエットの募集をいきなりしても反応は少ないかもしれないが、1週間前くらいから、

- 年末年始で増えた体重は戻っているか
- 春は暖かく歓送迎会も増えるので体重が増えやすい
- 今年の夏の準備はしていますか？
- 夏にやりたいことはありますか？
- やっぱり夏は海に行きたいですよね！　夏は薄着になりますよね！
- ですから今この時期にダイエットをスタートしておかないと手遅れになって夏を楽しめなくなってしまいます。去年はそんな人が多く、そのまま年末まで体重は増加した人が多くいました。
- 実はもうダイエットをスタートしている人が多いですが、あなたは大丈夫？
- 今回特別に夏までに理想の体型を目指すダイエットプログラムを用意しました！
- 3日後に限定5名で募集スタートします。お楽しみに♪

こういった内容の問題提起や気づきなどが発信され、「夏までに痩せたい！　しかも、ちょうどいい企画がある！」「話を聞いてみたい！」となり、最終的に集客人数が増えるのです。

一人キャンペーンと同じ原理で、事前予告がないとそもそも見てもらえません。事前予告は、4～7日間かけて行いましょう。

セットアップを行えば、次のようなメリットも期待できます。必ず実施するようにしましょう。

- 楽しみにしてくれているので成約率が上がる
- 人数限定の募集で事前に意欲を増しておける
- あなた自身がサービスにかける想いを伝えることができる
- 募集するテーマに合うお客さまが来てくださるのでミスマッチがない
- あなたに対して興味がある人が集まってくれる

🌐究極LINEテンプレート

事前予告の中に独自に編み出した「アンケートマーケティング法」を取り入れたものを「究極LINEテンプレート」と読んでいます。

持っているリスト（LINEの友だち）から、最大限の売上を出すための手法です。リストに対して、一斉送信で悩みや事前アンケートを取りながら「これは需要がありそうでいける！」と思えるものを、FEなどの表側のパッケージにして募集します。BEは顧客の要望に合わせてオーダーメイドで作成して提案すれば大丈夫です。

LINEにて、次のような文面を一斉送信してアンケートを取ります。

例：BEはマンツーマンのオーダーメイドのビジネスコンサル

今新しい商品・サービス商品・サービスの作成を考えているのですが、あなたがビジネスで悩んでいるのはどれですか？　一番悩んでいる番号を返信してほしいです。

①コンセプト作り

---

②人が集まる魅力的なキャッチコピー作成方法
③集客のためのLINE活用法
④セールス力アップ

このような質問をしてみて、要望や悩みの返信が1番多いものをピックアップします。

1番多かったのが、2）のキャッチコピーの作成方法だとします。

その場合、FEのタイトルを、「「たった5分で誰でもできる！ お客様が無意識に本能で申し込んでしまう魅力的なセミナータイトル作成セミナー」にすると、2番と答えてくれた人が参加するように促すことが可能となります。。

この手法を取り入れることにより、「自分でゼロから頭を使い考えて募集しても誰も来ない」という失敗は絶対になくなります。

「究極LINEテンプレート」の具体的な方法

LINE公式で発信するための、「究極LINEテンプレート」を解説します

これをそのまま自分に置き換えて活用するだけで集客増加は確実なものとなります。

まずはやってみて、改善していきましょう!

❶目標&スケジュールを決める

(いつまでに何人集客してどれくらいの売上をたてるのかを決める)

❷事前にアンケートを取り、募集するFEのテーマを決める

❸FE募集にむけて見込み客の問題や課題を探す

例:最近こんなお悩みの相談〈FEのテーマ〉が多いのですが、皆さんも悩んでいますか?

❹2日間ほど❸について言及したり、詳しく伝えていく

例:悩んでいる人が多いようです。なぜ悩んでいるかというと原因は◯◯ができていない……(◯◯はFEで解決する内容)。

❺興味ある人にLINEでスタンプをもらう

テストマーケティングでやるかどうか判断しますが、事前にアンケートで需要があることは確認済みなので再確認の場として、ここでスタンプをたくさんいただけるなら需要があるとはっきりわかることができる。

ここで「需要がない」となった場合は、また0から考え直して次のアンケートやテストをしていけばいいです！

それを繰り返していけば、常にそうやって需要のあることだけを開催することが可能になるので、時間と労力を無駄に使うことがなくなる。

例：❸と❹を発信した際に予想より知りたい人が多そうで、結構反響があるのでこういうセミナーや勉強会（FE）をやろうと思いますが興味ありますか？

❻開催日や募集開始日、限定何名かなどを2回程度送る（一人キャンペーン参照）

その他、どんな人向けか、参加したら得られる変化、過去のお客さまの実績や声など。

例：開催が決定しました。内容は◯◯です。

❼募集前日に再度告知する

例：いよいよ明日何時に募集開始です！

❽当日に再度告知する

最初の定員募集人数は3〜5名など少なくして満席になったこと、残席が少ないことをアピールしやすい。

例：本日何時に募集開始です！

❾募集開始の連絡

❿満席になったら満席の連絡

自分のキャパと相談しながら追加募集するかを決める。

例：枠が埋まりました。追加募集何名です（◯名）

⓫募集終了の連絡

⓬申込者にキャンセルが出たらキャンセル募集をする

「一人キャンペーン」のと場合と似ているので参考にしてください。

では、具体的にどのように準備をするのかをお伝えしていきます。

準備編

準備とは、目標や戦略企画、スケジュールを決めることです。

- **事前にリストにむけてアンケートを取っておき、需要を把握する**
- **誰に何を提供して、いくらの売上にするのか決める（目標、戦略企画）**
- **どんな悩みを持った人にどんなFEを提供していくのか（無料相談、無料面談、体験セッション、グループコンサル、セミナーお茶会など）**

※1対多数で行うFEの場合、必ず最後に個別相談を案内して、別の日に個別でヒアリングし、興味があれば提案します（ベーシックセールス参照）

- **BEをどんな形式で提供するのか（個別セッション、講座〈形式自由〉動画教材〈サポート自由〉など）**

目標数値の目安

- リスト数の4〜10％がFEに参加
- FE参加者のうち最低40〜80％がBEの目標成約率

具体例として：

現在リスト50名で半年でBEとして「平均20万円の個別コーチングプログラム」を販売予定

FE集客目標↓2〜5名目標

BE成約数目標↓1〜4名成約

総売上目標↓20〜80万円

●スケジュールを考える

個別セッションの場合、個別に日程相談をすれば、スケジュールを意識する必要はありません。ただ、1対多数の講座の場合、開催日程を早めに決めておく必要があります。

スケジュールを決めるコツは、**逆算して事前告知や募集の日程を考える**こと。事前告知期間は4~7日間、募集は4日間前後、追加募集やキャンセル募集考えてプラス2、3日で日程を組みます。

FEが個別相談の場合は、募集開始から個別で日程を調整していきます。講座開催の場合、「個別相談から講座の日程が近すぎて、講座の日程にスケジュールが合わずに参加できない」という理由で未成約になる場合があります。講座の開始の最低でも1カ月前に、個別相談を組むようにしましょう。

スケジュール算出例

● スケジュールは逆算して考える（現在を3月1日と仮定）

目標ゴール：個別セッションが5月にスタート。

目標は、単価30万円の商品を3名成約で、合計売上90万円

↑

4月後半には個別相談を終了させている

←※4月中旬に様子を見る追加募集などをする
4月初旬から個別相談の募集開始
←
3月中旬から後半に究極LINEテンプレート配信を開始
←
3月中旬までにテンプレートのシナリオを考えて作りはじめる
←
リストに向けてアンケートを取り、要望などを把握しておく
3月初旬に大体の目標、企画戦略、スケジュールを考える
←
3月1日（現在）

5-6 やるだけで売上がアップする「個別プッシュ」

LINEテンプレートで配信していると、そちらに集中してしまい、「個別プッシュ」を忘れてしまうことがあります。

「個別プッシュ」とは、LINEに何かしらのアクションを起こしてくれたお客さまへ、個別にメッセージを送ることです。

今回お伝えしているLINEテンプレートはスタンプやアンケートの回答をいただき、それをFEとして募集する戦略です。

LINEで何らかのアクションをしてくれた人で、申し込みをしていない人（募集に気づいていない人や申し込みを忘れている人を含む）が一定数出てきます。

そのときに、直接チャット機能を使って一人ひとりにメッセージを送り、個別プッシュしていくのです。

内容は、「先日はスタンプやアンケートの回答（スタンプ）ありがとうございました。要望にお答えして、今こんなもの人数限定で募集しています。ご興味があれば、定員の枠をおさえておきましょうか?」というような文章を送りましょう。
これだけで年間の売上が1・5倍は変わるはずです。
忘れずに取り入れてください。

FEの種類とコツ

これからビジネスを進めていくうえで、大切な集客の基本となるFE(フロントエンド)の種類と内容、コツについて解説していきます。

- セミナー/一対多(無料~5000円)
- 勉強会/一対多(無料~5000円)
- 体験セッション/個別((無料~5000円)
- 無料個別相談/個別(無料)
- お茶会/一対多(お茶代+3000~5000円)

※すべてリアル、オンラインともに開催可能

人気のものは定期開催として、毎月人数を限定して募集すると集客が安定しやすくなります。

セミナー／一対多（無料〜5000円）

所要時間：90〜120分

定員：3〜10名

テーマタイトル：自分のBEに繋がるもの、もしくは見込み客が求めていること（たくさんの人の力になり、かつ需要があれば、それを毎月行ってもOK）

役割：有益な情報を伝え、信頼関係を築き、最終的に個別にセールスする場所として体験セッションや無料相談に繋げ、また別日で要望を聞きながらBEのセールスを行う。

基本的な考え方は価値提供と信頼関係構築になる。

また、セミナーは1対多数で行うので、個別のことを解決する時間がありません。

だからこそ、最後は個別相談の時間を参加者に特別にプレゼントするという名目で個別の相談に繋げます。

● **開催の流れ**

①今日のテーマや当日の流れの説明
②アイスブレイク（簡単な参加者の自己紹介や参加理由などみんなに話してもらったりする）
③自分の自己紹介、経歴、実績、お客さまの変化など
④価値の提供（1）①表面的だが必要な知識や価値の提供を伝える
⑤価値の提供（2）②具体的なノウハウを少し提供、時間があれば、ワークなどを行う（悩みすべてを解決するのは難しいため、1部分だけ参考になったり気づきを感じてもらえる内容を提示する。最終的に「もっと詳しく教えてほしい」となれば個別に案内しやすくなる）
⑥質問タイム

⑦体験セッションや無料相談の案内
⑧全員の感想を言ってもらって終了
※終わったら任意で参加者のお声をもらう→SNSにアップ
※最後に写真撮影もして顔出しNGな人を聞いて把握するのもできれば行おう。

●**ポイントやコツ**
・話の中で自分のお客さまの成果をさりげなく出す
・自分はBEのサービスを提供している人だとアピールする
・「BEの一部を少しだけ提供している」ことを伝える
・セミナーは一般的な内容で体験セッションは個別相談も可能と伝えて個別相談に繋げる

勉強会／一対多（無料～5000円）

所要時間：90～120分

定員：3〜5名
テーマタイトル：そのときに旬な情報や顧客が求めている情報をワークなどを通して学べる場所
役割：交流しながら学べる体感型のセミナー。セミナーは基本的に講師からの一方的な情報を伝達してもらう場所ですが、勉強会はやワークショップは時間配分としてワークを取り組む時間や交流が多いのが特徴です。

●開催の流れ

・今日のテーマやスケジュールの確認
・アイスブレイク（自己紹介や参加した理由を聞いていくなど）
・簡単なテーマに対する講義
・ワークをする
・質問タイム
・体験セッションや無料相談の案内
・全員の感想を言ってもらって終了

●ポイントやコツ

ワークをすることで個別相談にいきたくなるようにする。

ワークをやっていくと、気づき、学びが深まるので、もっと自分に合った使い方や、やり方を知りたくなり、さらに質問や相談が出てくるようになります。

それを個別相談で相談できるように案内することによって喜んで参加していただくことができます。最終的に個別相談や個別セッションでお互い必要性を感じることができれば、バックエンドを提案することになります。

体験セッション／個別（無料～5000円）

所要時間：60～90分

定員：1名

テーマタイトル：

体験セッションは、あなたのBEや商品・サービスを販売するための「お試し」の位置づけで少しだけ提供するもの。

役割：
その場であなたの商品・サービスが見込み客にとって必要なものかどうか判断し、最終的にBEを成約するためのもの。

● **開催の流れ**

①アイスブレイク（お互いの自己紹介など）
②ヒアリング（相手の状況を確認）
③サービス提供
④クロージングにてBEの提案

● **ポイントやコツ**

❶ **体験セッションにもコンセプトを作る**

〜〜を達成するための体験
〜〜を改善するための体験
〜〜を克服するための体験

「〜〜するための」という見込み客にとって興味があり、とびつきそうなワードをリサーチして使って告知すると集まりやすいです。

❷限定性の演出

体験セッション（1回あたりのサービス価格）の定価はBEのセッション回数を金額で割ると（たとえばBE商品で6回のセッションと3カ月のサポートで20万円だとすると1回あたりの金額は約3万円）、おそらく2〜10万円くらいになるので、募集の時には、人数限定、特別価格というキーワードを使い、募集人数「3名限定」特別価格「通常3万→0円〜5000円」と告知すると集まりやすいです。

❸相手の話をちゃんと聞くこと

相手の話をしっかり聞いて、問題点や原因を把握して、「どうやって相手の悩みを解決させてあげることができるのか？」を考えながらセッションを提供すること。

❹ 未来を一緒に考える

セッション提供時には、相手の相談内容に関して少し解決するように努力していくが、本当の原因や改善方法に気づいていないだけでたくさんあることを認識してもらい、BEを購入したら自分がどうなるのかを想像してもらうこと。

無料個別相談／個別（無料）

基本的なことは体験セッションとほとんど同じです。

異なる点は「個別相談」なので、その場でセッションの提供はないことです。相手の話をしっかり聞いて、理想の目標や未来を一緒に考え、それを達成するために「一緒にやりませんか？」とセールスします。

また、個別相談の場合はすでにBEの説明を聞きに来る場合も多いので、相手の話を聞いた上で、お互い必要そうなら提案していくという流れです。

お茶会／一対多（お茶代＋3000〜5000円）

所要時間：90〜120分

定員：3〜5名（多すぎると一人ひとり交流できず開催の意味が失われる）

テーマタイトル：そのときに旬な情報や交流がメイン

役割：あなたのことを知ってもらい、信頼関係を築く「交流」

「ポイントやコツ」

・お茶会のテーマや話題を事前に設定する（されていると話しやすくなる）。

・オフラインで開催する場合は、ホテルのラウンジやアフタヌーンティーなど食べながらやることが多い

・全員の写真など撮って開催していることをアピールする（店員さんに写真を撮ってもらう）

※お茶会は日程が決まっているので、日程的に参加できない人も出る。そのため2週間以上先の日程で募集する。

5-7 人を惹きつける魅力的なキャッチコピーの作り方

ビジネスをうまく進めていくための必須能力として、無料プレゼントのタイトル、プロフィールの文言、商品・サービスの名称などを魅力的にすることが、集客アップのためには必要です。

これができるかできないかが、あなたの売上を大きく左右します。

だからこそ、ここでは「誰でも簡単に魅力的なタイトルをつけるコツ」についてお伝えしていきます。

人を惹きつける魅力的なキャッチコピーを作ることができれば……、

- **SNS（ブログやメルマガ、LINEなど）の記事を、読んでもらえる、**
- **募集をかけると人がたくさん集まるようになる**
- **新しいアイデアがどんどん生まれるようになる**
- **無料プレゼントへの応募やLINE登録が増えリストがたくさん集まる**

●読者の反応がダントツに変わってくる

その結果、集客が増え、売上は数倍に増えるはずです。

では、どうすれば魅力的なキャッチコピーを作れるようになるのでしょうか？

答えは、**自分で考えることをやめる**ことです。「魅力的なキャンチコピーの書き方」にはルールがあります。

それをうまく活用しましょう。リサーチ＆モデリングのステップでもお伝えしたようにＴＴＰが重要になります。

魅力的なタイトルの書籍や無料プレゼントなどを見つけ、それをあなたの言葉でアレンジする。これを繰り返していけば、あなたが自分で考えて生み出すよりも、はるかに効率的に上達します（パクりは厳禁）。

ここで、キャッチコピーを考えるときに意識したい、３つの手法をお伝えしましょう。

1 入れると反応が高まる鉄板ワードを知る

人間が無意識に反応してしまう要素やワードは、決まっています。

おさえておきたい基本要素とそれを表現するキーワードをご紹介しておきます。

● **無料、タダ**→0円〇〇、今回のみ無料、無料体験

● **新しさ、独自性がある**→新時代の、新常識、〇〇2・0、誰も知らなかった

● **クイック&イージー（早く簡単に解決する）**→やさしい、シンプル、鉄板、ラクして、たった3つのステップで、〜だけやれば、誰でもすぐに

● **具体性や警告（人間は堕落していて、失いたくない生き物）**→今すぐ〇〇はや辞めてください、〇〇する方法

そのほかにも、「ギャップ、非常識、稀少性、限定性、ストーリー性、実績、権威性、すごいことのデータや数字、クオリティの高さ、第三者の声や意見、不安を活用する、信頼感、安心感、期間期限」などを活用することで、見込み客を動かす言葉にすることができます。

2 そのほか活用できるテクニックを知る

これさえできれば、集客に困らなくなる必須テクニックをご紹介します。

●ターゲットコール

ターゲットの明記は「自分のためのもの」と思ってもらえる効果があります。

例：

「初心者ブロガー必見」

「セミナー講師のための集客術」

「40代女性が綺麗になるためにやること10選」

「今すぐサッカーがうまくなりたい人へ」

●パワーワードを使う

パワーワードというのは、たくさんの人が無意識に反応しやすい影響力が強い言葉のことを言います。

例：
絶対、圧倒的、~すぎる、必須、時短、必見
快適、意外と簡単、間違いなく、究極の、秘訣
秘密を大公開、共通点とは、無料でできる、新常識、効果的など

この「ターゲットコール」と「パワーワード」を両方入れると、「コーチ必見!!読むだけで集客ができるようになる究極のＬＩＮＥ配信の秘密を大公開」となります。

3 実際活用されて効果が高いものをモデリングする！

もうすでに効果が高いキャッチコピーをモデリングすることが成長の近道です。

今から紹介するモデリング先は、時間と労力を使い、見込み客を集めるために考え抜かれたタイトルがたくさんある場所です。

その労力をしっかり自分のものにしていくことで、自分なりのアイデアやひらめきが出るようになります。

必要なのは、モデリングしながらどんどんアレンジして作ってみることです！
次のモデリング先を参考にしてみましょう。

モデリング先

- **Amazonの本や帯の文言**
- **広告のキャッチコピーやプレゼントのタイトルなど**
- **ユーデミーの教材タイトル**
- **ストアカのタイトル**
- **YouTubeのタイトルやサムネイル**

また、参考になる書籍も紹介しておきます。
『売れるコピーライティング単語帖』神田昌典・衣田順一（SBクリエイティブ）
『バカ売れキーワード1000カラー改訂版』堀田博和（KADOKAWA）

5-8

成約率を上げるための事前準備

見込み客があなたの商品・サービスの購入を検討するのは、セールスのときだけではありません。

むしろ、**セールスの前の準備段階で成約するかどうかが決まります。**

ですから、日々の情報発信や配信で、見込み客に〝欲しい〟という状態になってもらうことが重要です。

そして見込み客が〝欲しい〟という状態になるには、3つのポイントをおさえる必要があります。それを順に説明しましょう。

❶見込み客にあなたの商品・サービスが必要だと感じてもらう

あなたが提供する商品・サービスが「誰のどんな悩みを解決するものなのか？」を日々発信することで、見込み客にそれが必要だと思ってもらうことが大切です。

そして見込み客が〝理想の未来〟を手に入れるためのお手伝いができる商品・サー

ビスであると感じてもらいましょう！

❷あなたのことを信用してもらう

あなたの商品・サービスを検討するためには、あなたへの信用が必要不可欠です。見込み客はあなたの話を聞く（信用する）理由がほしいのです。

そのためには、常日頃の発信であなたのことを知ってもらい、信用に値する人物であることをあらかじめ感じておいてもらう必要があります。

伝える内容としては、「あなたの実績」「今まであなたが悩みの解決や興味、経験、習得にかけてきた費用や時間」「今までサポートやしてきた人数（指導数、施術数など）」「お客さまのお声や他の権威性のある人からの推薦の言葉」、そして、「あなたの人生のストーリー」「商品・サービスができるに至った開発秘話」「仕事に対する熱い思い」など。

これらを伝えることで、見込み客に「自分と同じ境遇だったんだ」「大変だったんだ」「頑張ったんだ」というように共感してもらうことができます。

❸ あなたの商品のことを信用してもらう

見込み客は、あなたの商品・サービスの内容や効果を、基本的に信用していません。

だからこそ、「あなたの商品・サービスはなぜ力になれるのか」という信用に足るような理由を伝えましょう。

また、お客さまの声を載せることによって、より信用されやすくなるので初期の頃は積極的にモニターを集めましょう！

より早く深く信頼関係を深める方法

SNSでの起業をはじめて慣れてきたら、あなたのことをもっと知ってもらうために、ぜひチャレンジしてもらいたいことがあります。

それは、**あなたが写っている写真を投稿すること**です。

私も最初はそうだったように、「顔出しナシ」でも、もちろん起業してビジネスを作っていくことはできます。

しかし、あなたが写っている写真を使うことで、SNSのフォロワーはあなたに「こんな人なんだー！」と親近感が湧き、より早く信用され、信頼関係を構築できるようになります。

動画配信やライブ配信に挑戦しよう！

通常の投稿に慣れたら、動画やライブ配信を活用してみましょう。

【動画は伝えられる情報量が非常に多く、1分間の動画で伝わる情報量を、文章のみの情報量に換算すると180万語相当に匹敵すると言われています。

これは一度のSNS投稿を1000文字としてカウントすると、1分間の動画は1800日（約4年）分の投稿と同じ情報量になるのです。

また、動画を利用すると商品・サービスへの理解度が、テキストのみよりも70％以上高まるという研究データもあります。

また、動画に関しては次のような情報もあり、成約率を大幅に向上させると考えられています。

● **動画を観たあとの方が商品の購入率が64％％アップ**

- 不動産サイトで動画を載せた場合、問い合わせが403％アップ
- ニュースレターに動画コンテンツを載せるとクリック率が2～3倍アップ
- 動画を載せるとメールキャンペーンからの顧客獲得率が51％アップ
- 90％のユーザーはプロダクトに関する動画がある方が意思決定しやすい

「メラビアンの法則を知ろう！」

メラビアンの法則とは、1971年にカリフォルニア大学の心理学者であるアルバート・メラビアンが提唱した概念です。感情や気持ちを伝えるコミュニケーションをとる場合、どんな情報によって印象が決定されるかを検証したものです。

その印象の決定には、**「視覚情報が55％」「聴覚情報が38％」「言語情報が7％」**と、この3つの要素がそれぞれの割合で影響をもたらします。

たとえば、言葉でどんなに「幸せ」と言っていても、態度や表情が不幸そうであれば、「不幸そう」という見た目の印象のほうが強く伝わるということです。

つまり、**動画やライブ配信は短時間で多くの情報を伝えられ、圧倒的に記憶に残りやすく、共感を得ることができて、人の心を動かすことができる**のです。

そのため、ファンがより早く増える傾向にあります。

そして、リアルタイムで直接視聴者とコメントなどのやりとりができるので、より見込み客のことを知れたり、あなたのことを知ってもらったりしやすくなります。

ただし人によって、「文章が得意なタイプ」と「話すのが得意なタイプ」に分かれます。文章が得意なタイプの人が、無理してライブ配信をする必要はありません。

自分のタイプや強みを理解して出来る戦略を増やすことが大切です。

常にSNSで「ライバルがどういった活用方法をしているか?」というアンテナを立てて戦略を立てましょう。

SPECIAL PART

うまくいかないときのつまずき解消法

SPECIAL PART

うまくいかないときのつまずき解消法

さて、ここまで読み進めていただきありがとうございました。一度読んだだけの場合、難しい内容が多かったのではと思います。

実践していくと、たくさん失敗してうまくいかないこともあると思います。

そんなときは、このスペシャルパートを読んで実践してください。何度でもここに戻ってきて、また行動していきましょう。

うまくいかない理由①　楽しんでいない

私がビジネスをするときに一番意識していることは楽しむことです。起業しても嫌なことや苦手なことは、必ず出てきます。そんなときは「どうやったらそれが楽しくなるのか？」を考えてみてください。楽しく考える方法を2つ提案しましょう。

1つ目は**ゲームにしてみる**こと。ゲーム感覚で取り組むとクリアするごとに成長を感じます。するとやれることが増えていきます。

2つ目は、**息抜きして遊ぶ**こと。SNSでの起業が成功できなくても死ぬわけではありません。もっと気軽に楽観的に考えながら進めましょう。

人は楽しそうなところに集まってくる習性があります。あなたが苦しそうなら、お客さまはそれを察知します。あなたが楽しんでいるから人が集まるのです。

うまくいかない理由②　人と比較してしまう

どれだけ頑張っても「隣の芝生は青く見える」ものです。その習性を認識すると**「人**

と比べることは無駄で時間がもったいない」という感覚に変わります。

もし比べてしまうときは、1週間前、1カ月前、半年前、1年前のあなたと比べるようにしましょう。すると、やれることが増えてきます。自分を自分と比較して成長させていきましょう。

うまくいかない理由③ マインドセットが崩れている

基本的なマインドセットはステップ0でお伝えした通りです。

マインドセットができていなかったり、崩れているとうまくいきづらいです。

そんなときはちょっと休憩して、ステップ0を再読し気分をあらたにしましょう。

大丈夫！　あなたは絶対に成功できます。

うまくいかない理由④ 成長のスピードが遅いと感じる

人の成長スピードを表した**「成長曲線」**というものがあります。

ブレイクスルーまでのスピード（成長曲線）

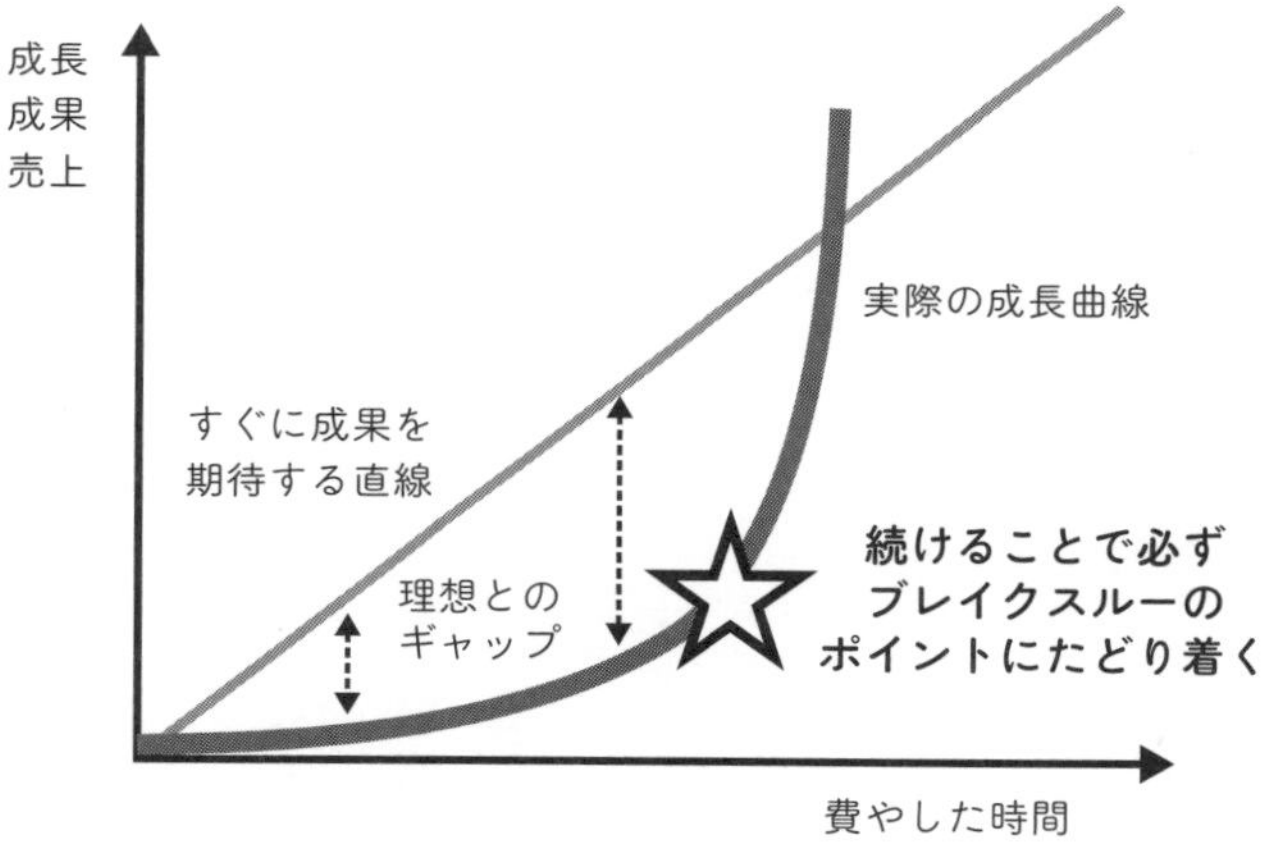

人は費やした時間だけの成果や成長を、そのまま期待し求めてしまいます。

しかし、実際に成長するスピード（成長曲線）は、**なかなか成果が出ない状態からはじまり、突如ブレイクスルーのポイントがやってきて、そこから一気に成長が加速する**のが通常です。

この原理原則を知っているかどうかで、行動を左右します。

だからこそ、短期的な成果だけを追い求めるのではなく、ブレイクスルーのポイントまでコツコツ続けていきましょう。

うまくいかない理由⑤　守破離を守れていない

うまくいかない人の多くがこの「守破離」を守れていません。

大体わかったからと言って、自己流に置き換え、アレンジを加えて失敗し、諦めてしまうのです。それではやはり、成果を出し続けることは難しいです。

まずは、**学んだ通りに実践してはじめて成果が出る。**それによって本質が理解できます。そこから、自分なりの手法や取り組み方を見つけていけばいいのです。

最初から自己流で取り組んでしまうと、出る成果も出なくなり、成果が出たとしても偶然の産物として再現性がなくなります。

ですからまず、本書に書いてあることをそのまま取り組んでみましょう！

うまくいかない理由⑥　仮説検証できず、本当の原因がわからない

「どこがうまくいきませんか？」「なぜうまくいきませんか？」と聞くと、「わかりません」と答える人がいます。その人たちに足りないのは**仮説検証**です。

自分で、**なぜうまくいかないかと仮説を立てて考えることで成長します。**

大切な部分なので具体例をあげると、「LINE公式のテンプレ配信でFEを募集したけれど応募が来なかった（集客できなかった）」場合、確認するべきポイントがいくつかあります。

- **FEのタイトルは魅力的であったか？**
- **テンプレの内容やスケジュールは適切だったか？**
- **募集する前に事前アンケートを取って需要の確認はしたか？**
- **十分な数のリスト（LINE公式の友だち）が集まっていたか？**
- **SNS投稿はしっかりできていたか？**
- **SNSのプロフィールが適切か？**
- **リサーチ&モデリングをきちんとしているか？**
- **自分の棚卸しができているか？**
- **マインドセットが整っているか？**
- **全体像が理解できているか？**

これらの確認ポイントで、どこに問題点や原因があるかが大体把握できると思います。次はそこを改善して取り組めばうまくいくはずです。

うまくいかない理由を考えて仮説を立てることが重要です。

うまくいかない理由⑦ ベクトルが自分に向いている

「ベクトルが自分に向いている」とは、**「自分だけに意識が向いている」**状態です。

「周りにどう思われるだろう」「こんなこと書いてもいいのかな」「受け入れられなかったらどうしよう」「いいね！が少なかったらどうしよう」「募集しても誰も集まらなかったらどうしよう」と、自分のことばかり気にしているとうまくいきません。

意識を向けるべきはお客さまに対してです。

お客さまに対して、「何を伝えたいのか」「どうなってほしいのか」「どうやったら力になれるのか」を精一杯考えて取り組めば、「お客さまのことだけ考えている状態」になります（ベクトルがお客さまに向いている状態）。

本来は、その状態でビジネスを進めていかないといけません。
気持ちを切り替え、**「お客さまのためにはどうすればいいのか？」を考えましょう。**

うまくいかない理由⑧ 売り込まなければならないと思っている

セールスをする機会が多くなると「売り込みたくない」と消極的になる人が増える傾向があります。ここで思い出してほしいのは、**「セールスとは人助けである」**というマインドセットです。そして、無理にセールスする必要もありません。

そんなときは意識をお客さまに向けて、「丁寧に話をしっかり聞く」こと、そして「もっと相手を知りたい」という気持ちでたくさん質問しましょう。

すると、お客さまに親近感を持てるようになります。

そしてお客さまの悩みや困っていることをあなたが解決できて、相手が喜んでくれるならば、「お手伝いさせてください。一緒に頑張りませんか？」とただ正直な気持ちとしてお伝えできると思います。

それを繰り返すと、「セールスとは人助けである」の意味が、もっと深く理解できると思います。

うまくいかない理由⑨

商品をうまく作れない

はじめての起業に多いのが、「商品をうまく作れない」という悩みです。

その解決方法はすごく簡単で**「お客さまの要望に合わせて作ればいい」**だけ。

最初のうちはモニターやアンケートの名目で、お客さまの話を丁寧に聞かせてもらい、課題や問題点、改善のステップなどを考えながら把握します。

数をこなすうちに一人でもモニターに興味を持ってくださるお客さまがいれば、話し合いながら、その人の要望や悩みに合わせて商品サービスを作ればいいのです。

10人程度モニターに商品サービスを提供したら、商品作成のステップでBE商品を作ってみましょう。それをまたモニターに提供し、喜んでもらえたらブラッシュアップして、そのBE商品に合ったFE商品を考えましょう。

たとえば、「あなただけのオリジナル商品作成講座」というBE商品を販売するなら、FEのセミナーや勉強会に、「人が集まる魅力的な商品作成セミナー」を設定します。そのなかで簡単にノウハウを話し、セミナーの最後に、「マンツーマンで一緒に商品を考えてアドバイスできる個別相談があるよ！」と一人ひとりに案内するのです。

そして、「集客から販売までの流れをレクチャーする講座に興味があるか」と聞いて、興味があれば提案します。

うまくいかない理由⑩ 自信がない

「自信がない」ことで、なかなか先に進めない人へお伝えしているのは、「最初から自信がある人はほとんどいない。逆に自信がないのが普通」だということ。

たとえば、一度も泳いだことのない人に対して「泳ぐ自信はありますか？」と聞いても自信なんてないに決まっています。

はじめてプールに入って、練習するうちに成長曲線のように少しずつ上達します。

そこではじめて自信がつきます。

でも、あなたがこれからやろうとしていることは、あなたがずっと悩み、困って、時間とお金を使って頑張って乗り越えてきたもの、または身につけてきたもの、そして好きでずっと続けてきたものだと思います。

つまりあなたは、**その種目ではもうプロレベルである可能性もある**のです。

自信を持ってまず、今のあなたのままで力になれる人からサポートしましょう。

最初はだれだって不安はあります。

でも、それに尻込みして進まなかったら人生は何も変わりません。

あなたはもう進めるだけの知識と勇気を持っているはずです。どんどん行動してあなたを待っている人のもとへ進んでいきましょう!

うまくいかない理由⑪ ブロックされるのを気にしている

「ブロックされたら感謝する」、これが答えです。

ブロックとは、あなたと合わないと判断した人が去り、あなたに合う人だけが残っていく状態です。つまり残っている人は「あなたに興味がある人たち」なのです。

「去る人をどう食い止めるか」という思考から、「ありがたく残って読んでくださっている人に何を届けられるか」という思考に変換し、ブロックされたら「ありがとうございます！」と感謝するように考えましょう。

うまくいかない理由⑫ SNSの使い方を間違えている

SNSとはビジネスをツールではなく、「コミュニケーションツール」であることを忘れてはいけません。常日頃、繋がっている人とのコミュニケーションを意識したうえで「ビジネスとして活用する」場合、使い方が180度変わります。

SNSで友人知人とコミュニケーションを取るのと同じように、見込み客とのコミュニケーションを意識するだけでかなりの数の「うまくいかない」が解消します。

おわりに

あなたはもっと豊かに自由に生きていい

最後まで本書をお読みくださりありがとうございました。

この本には、私が売上ゼロの起業当初から、初年度に売上を3000万円稼ぎ出すまでに取り組んできたことを包み隠さず、全部詰め込ませていただきました。

ですから、本書を全部マスターして使いこなすのは、正直難しいです。

本文でも繰り返しお伝えしましたが、何度も何度も本書を開いて、その都度実践し、ボロボロになるまで使い込んでください。

これから先、たくさんの壁や挫折、苦難があるかもしれません。ですが、本書が必ずあなたが自分の力で稼ぐための手助けをしてくれるはずです。

この本を書くときに決めたことは、

「この本であなたに稼いでもらい、あなたの人生を好転させるお手伝いをする」

ということです。

私にもできたのですから、あなただって大丈夫！

しっかり楽しく実践していってください。

そして成果が出たり、この本をいいなと思ったら、ぜひ友だちに紹介したり、レビューを書いてください！

また、直接メッセージをいただけたなら、本当にうれしいです！

私もたくさんの先輩方に教えていただいたことで、稼げるようになりました。

ですから、私はあなたの半歩先を進む先輩として、いつでも応援しています。


本書を読んで、実際にSNSを使った起業を行う方向けに、フォローのための無料のオンラインサロンを作りました。

そこでは更なる情報提供もしていきますので、ぜひ参加してみてください（次ページのＱＲコードのリンク先から案内させていただきます）。

最後に、本書を書くにあたり、たくさんの方の力を貸していただきました。皆様に感謝申し上げます。

私一人の力では、ここまでの内容を書き上げることはできませんでした。

本当にありがとうございます！

ここまで読んでくださったあなたの人生が、理想の未来にたどり着くのを心より応援しております。

またどこかでお会いしましょう。

宮中清貴

『SNS共感起業』無料特典

下記のQRコードからリンク先へアクセスし、「LINE友だち追加」を行ってください。
以下の３大特典をプレゼントいたします。

①『SNS共感起業』無料オンラインサロンへ特別ご招待
ページ数の都合で紹介できなかった要素や本書の内容をさらにわかりやすく動画やライブ配信で解説していきます！

②「無料プレゼント」の配布方法の補足・解説動画
本書で解説した、あなたのリストを集めるのに必須となる「無料プレゼント」の配布方法を、動画で詳しく補足・解説します！

③「アンケートセールストーク」の補足・解説動画
モニター獲得のための「アンケートセールストーク」について、文字だけでは伝えきれない細かなニュアンスや会話例を動画で補足・解説します！

QRコードを使えない方
LINEIDで検索　@sns.kyoukan.kigyou
URLで検索　https://lasdy-lp.net/book

音声や動画で学ぶと、
“記憶の定着率が２倍になる”と言われています。
すべてのプレゼントを受け取って、
あなただけのSNS共感起業を成功させましょう！

「強み」「知識」「顔出し」ナシでも成功できる
SNS共感起業《きょうかんきぎょう》

2021年6月30日　初版発行
2021年7月21日　2刷発行

著　者……宮中清貴《みやなかきよたか》
発行者……塚田太郎
発行所……株式会社大和出版
東京都文京区音羽1-26-11　〒112-0013
電話　営業部03-5978-8121／編集部03-5978-8131
http://www.daiwashuppan.com
印刷所……信毎書籍印刷株式会社
製本所……ナショナル製本協同組合
装幀者……藤塚尚子（e to kumi）

本書の無断転載、複製（コピー、スキャン、デジタル化等）、翻訳を禁じます
乱丁・落丁のものはお取替えいたします
定価はカバーに表示してあります
©Kiyotaka Miyanaka　2021　Printed in Japan
ISBN978-4-8047-1881-1

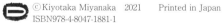